Tiens...
un autre livre
sur le bonheur

Note sur l'auteure :

Marie-Phé Caron est auteure, réviseure, correctrice et rédactrice. Elle travaille aussi comme consultante et numérologue depuis plus de vingt ans. Son approche, simple et efficace, stimule et encourage la connaissance de soi, le discernement, l'autonomie et la responsabilité individuelle, et offre une information plus que pertinente permettant à chacun de mieux comprendre son plan de vie et de se créer en harmonie avec celui-ci.

De la même auteure :

Les Lumières du néant, Éditions du Roseau, 1999.

Vous pouvez joindre l'auteure en vous adressant à l'éditeur ou

par courrier électronique à : angellight17@yahoo.fr

Site Internet : www.laperade.qc.ca/mariephe

Marie-Phé Caron

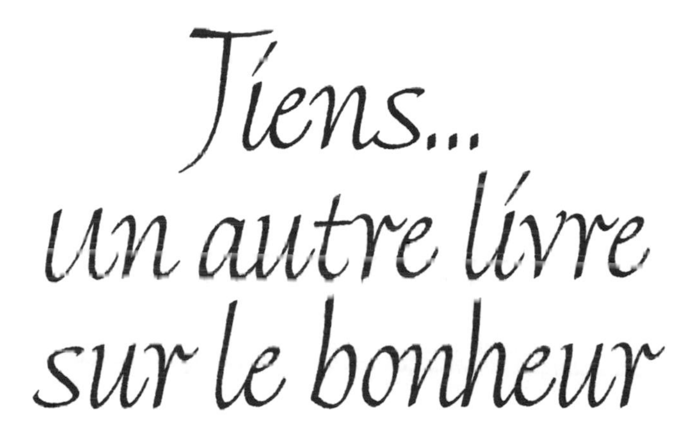

Leur vie, notre histoire

Catalogage avant publication de Bibliothèque et Archives Canada

Caron, Marie-Phé

Tiens-- un autre livre sur le bonheur : leur vie, notre histoire

ISBN 2-89466-123-1

1. Bonheur. 2. Événements stressants de la vie. 3. Célébrités - Québec (Province) - Miscellanées. I. Titre.

BF575.H27C386 2006 152.4'2 C2005-942393-5

Les Éditions du Roseau bénéficient du soutien financier des institutions suivantes pour leurs activités d'édition :

- Gouvernement du Canada par l'entremise du Programme d'aide au développement de l'industrie de l'édition (PADIÉ)
- Société de développement des entreprises culturelles du Québec (SODEC)
- Programme de crédit d'impôt pour l'édition de livres du gouvernement du Québec

Conception graphique
de la page couverture : Carl Lemyre

Photographie
de l'auteure : Marc-André Brunelle

Infographie : Nicole Brassard

ISBN 2-89466-123-1

Dépôt légal : Bibliothèque nationale du Québec, 2006
Bibliothèque nationale du Canada, 2006

Distribution : Diffusion Raffin
29, rue Royal
Le Gardeur (Québec)
J5Z 4Z3
Courriel : diffusionraffin@qc.aira.com

Site Internet : http ://www.roseau.ca

Imprimé au Canada

Je dédie ce livre...

À ma mère qui aurait pu écrire une trilogie sur *Les épreuves d'une vie* et qui n'a pourtant jamais baissé les bras ni renoncé parce qu'elle savait que nous étions six petits mousses à la regarder manœuvrer et que c'est par l'exemple qu'elle nous apprenait chaque jour à naviguer et à devenir maître à bord de notre propre destinée.

À ma fille, Marie-Claude, mon ange, mon soleil, ma fierté, l'œuvre de Dieu, mon *grand bonheur sur deux pattes*.

Aux passionnés qui s'expriment, se disent, se créent, vivent et vont jusqu'au bout de leurs rêves, envers et contre tout.
Aux enthousiastes qui ne renoncent jamais.
Aux fonceurs que rien n'arrête.
Aux entêtés à qui nul ne résiste.
Aux brillants esprits qui ont appris à rire d'eux-mêmes.

Le bonheur, c'est comme du sucre à la crème.
Quand on en veut, on s'en fait.

Auteur inconnu

Remerciements

Je tiens à remercier, du fond du cœur, les artistes québécois qui ont bien voulu partager, avec les lectrices et les lecteurs, leur définition, vision ou perception du bonheur. En ordre alphabétique : Joanne Boivin, Julie Boulet, Noëlla Champagne, Doug Childers, Alexandre Compagna, Patrice Coquereau, Normand d'Amour, Claudette Dion, Lise Dion, Ransford Doherty, Jean-Michel Dufaux, Louisette Dusseault, Stéphane Dussault (Les Respectables), Stéphane Gagnon, Macha Grenon, Jean-François Groulx, Lulu Hughes, Marie-Ève Janvier, Ching-Hui Kuo, Albert Kwan, Catherine Lachance, Louise Lacoursière, Chantal Lacroix, Bruno Landry, Roger D. Landry, Pierre Légaré, Pénélope McQuade, Pierre Morency, Laurent Paquin, Judi Richards, Brigitte Tremblay, Marie Turgeon, Karen Young.

De la même manière, j'exprime ma reconnaissance à Lise Beaulieu, Michel Brouillette, Louise Caron, François Casabon, Karen Colclasure, Sylvie Duranceau, Linda Gagnon, Skipper Gaston, Diane Giroux, Randy Guess, Line Jobin, Kenny Laverdiere, Billy Leblanc, Hélène Leduc (ma mère), Jacques Lemay, Suzie Mac Craw, Louise Monfette, Michael Mulholland, Julie Perron, Bernie Quayle, Toney Richards, Jocelyne Robertson.

J'exprime ma plus profonde gratitude à ma fille, à ma mère, à mes frères et sœurs que j'aime par-dessus tout, à mes ami(e)s ainsi qu'à toutes les personnes que j'ai rencontrées et côtoyées au cours de ma vie pour la richesse qu'elles ont déposée en moi.

Je remercie les assistantes et assistants, agentes et agents d'artistes, qui m'ont fourni leur si précieuse collaboration.

Un gros merci à mon éditeur ainsi qu'à toute l'équipe qui font un travail remarquable et qui contribuent, à leur façon, à rendre le monde plus heureux.

Enfin, merci à vous qui lisez ces lignes parce que c'est grâce à des gens comme vous que les artistes de tous domaines peuvent continuer à créer, à se dire, à exprimer et à partager leur passion.

Hommage à Chantal Lacroix

Puissent tous les hommes se souvenir qu'ils sont frères.
Voltaire

Je tiens à rendre un hommage tout à fait spécial à madame Chantal Lacroix, instigatrice, animatrice et productrice de l'émission ***Donnez au suivant***, qui, par sa grandeur d'âme, son altruisme et sa générosité, a instauré au Québec une immense chaîne de bonté, dont les ramifications s'étendent maintenant en France. De plus, des négociations sont présentement en cours avec, entre autres, le Canada anglais, les États-Unis, l'Angleterre, l'Italie, l'Allemagne, la Scandinavie et l'Ukraine.

Je suis non seulement fière mais honorée de souligner son implication titanesque dans ce prodigieux mouvement humanitaire et social visant à sensibiliser les gens à la compassion, à l'entraide, au don de soi et à l'amour inconditionnel.

C'est avec le plus grand respect que je me joins à elle et à toute son équipe pour vous inviter à poser des gestes concrets afin que cette chaîne s'étende à l'infini, qu'elle devienne pour nous un symbole d'amour, de soutien, de partage et qu'elle nous rappelle, chaque jour, que l'union fait la force et que la seule façon de changer le monde, c'est d'en créer un, meilleur et plus beau, en s'y impliquant et en y apportant sa propre contribution.

Vous souhaitez remercier Chantal ? Rien de plus facile ! ***Donnez au suivant !*** (www.tqs.ca)

Le bonheur n'est pas un gros diamant,
c'est une mosaïque de petites pierres
harmonieusement rangées.

Alphonse Karr

AVANT-PROPOS

« Tiens... un autre livre sur le bonheur », êtes-vous en train de vous dire. Oui, cependant celui-ci est différent, et cela, pour plusieurs raisons.

Vous vous apprêtez à le lire, contrairement à tous ceux que vous n'avez même jamais feuilletés.

Il s'y trouve à ce moment précis parce que vous l'avez choisi pour vous révéler des choses à vous-même.

Vous vous trouvez dans une période de « J'en ai assez ! J'ai envie d'être heureux ! »

Vous avez fait un bout de chemin, et ça ne vous dérange plus de vous entendre dire que vous êtes responsable de votre vie.

Vous avez le goût de vous prendre en main.

Vous éprouvez déjà un certain plaisir à penser que c'est vous qui décidez. (Je vous vois sourire...)

La perspective de conduire au lieu d'être conduit vous stimule encore plus.

Vous savez que vous ne serez jamais ni trop jeune ni trop vieux pour être heureux.

Vous avez hâte de terminer l'avant-propos et l'introduction pour passer au premier chapitre. (Je vous vois encore sourire...)

Vous êtes maintenant convaincu que ce livre est fait pour vous parce que vous pressentez qu'il contient de la magie.

Et je vais aller encore plus loin. Plus vous le lirez, plus vous vous sentirez devenir cette magie. Vérité ou mensonge ? Qu'importe. Quand vous en aurez terminé la lecture, vous aurez déjà changé. Et c'est précisément ce que vous voulez.

Il y a des moments comme ça, dans la vie, où toutes les planètes et tout le système solaire semblent s'aligner pour nous faire vivre une transformation importante et nous offrir, en prime, un cadeau, un privilège, une gratification.

Alors, félicitations ! Votre jour B (bonheur) est arrivé. La porte s'ouvre aujourd'hui sur votre aptitude au bonheur et sur le ou les chemins que vous emprunterez pour y accéder. La grande nouvelle, c'est que vous n'êtes pas seul.

Bonne route ! Et bienvenue dans votre nouvelle vie !

Introduction

Quand j'étais jeune, le bonheur, pour moi, se trouvait dans tout ce qui ne me faisait pas souffrir. Et je souffrais beaucoup. J'étais (et je suis toujours) hypersensible et hyperémotive, mais lorsqu'on est enfant, l'expérience du bien-être et du mal-être nous est, à toutes fins utiles, inconnue. On ne peut donc départager les choses, les voir avec objectivité et analyser nos émotions souvent exagérées par rapport à ce qui nous arrive.

Par ailleurs, un enfant vit des expériences parfois si difficiles et pénibles que ça lui prendra des années avant de se sentir assez malheureux pour décider d'agir, de consulter ou de trouver une ou des voies qui lui conviennent pour se sortir des prisons dans lesquelles il s'est enfermé, prisons qui portent toutes un nom : peur, colère, agressivité, ressentiment, rejet, abandon. La liste peut s'étendre à l'infini.

J'ai donc passé plus de la moitié de mon existence à vivre mal dans ma peau, en imaginant que j'étais la seule à me sentir ainsi. Je ne voulais pas laisser transparaître quoi que ce soit. Je taisais mes douleurs intérieures et, cependant, mes attitudes et mes comportements me trahissaient, car ils en étaient teintés, pour ne pas dire imbibés. J'étais donc... pareille à tout le monde, parce qu'on a tous des cheminements semblables vécus différemment.

C'est pour ça que l'histoire des autres nous intéresse en même temps qu'on ne veut rien savoir des détails de leur vie. Ce qu'on souhaite, c'est découvrir comment ils se sont sortis d'une situation dans laquelle on se noie depuis des années. Ce qu'on veut, c'est qu'une personne qui a bien tiré son épingle du jeu, lors d'une expérience semblable à la nôtre, nous donne sa ou ses recettes gagnantes, qu'elle nous raconte comment elle s'en est sortie et quels ingrédients lui manquaient pour être heureuse. C'est ça qu'on veut. Des recettes de bonheur. Des histoires vraies qui finissent bien. Car, soyons francs, que la femme qui habite l'appartement 2 situé au troisième étage de l'édifice d'en face avale des antidépresseurs tous les jours, depuis cinq ans, ça n'intéresse personne. On compatit avec elle, certes, mais elle n'a rien à apprendre à qui que ce soit, aucun exemple positif à donner, pas d'outils pour aider, aucune recette à partager. Et, personnellement, comme je veux vivre heureuse et répandre le bonheur autour de moi, je cherche à m'approcher des gens qui ressemblent à ce que je souhaite devenir. C'est quand même plus sain que de se vautrer dans ses malheurs en accusant l'univers pour ce qui nous arrive au lieu de se prendre en main et de chercher des portes de sortie pour parvenir jusqu'à soi. Ce *Soi* qui est l'énigme d'une vie et qui – plus on vieillit et plus on s'en rend compte – peut se révéler notre meilleur ami ou notre pire ennemi. L'adversité n'est pas toujours ce qu'elle paraît, et nos adversaires rarement ceux qu'on imagine.

Alors, un jour, après plusieurs années de procrastination intermittente, une partie de moi en a eu vraiment marre de se sentir mal et d'avoir l'impression, la certitude parfois, que j'étais victime des gens et des événements et pas du tout ou très peu responsable de mes souffrances et de mes malheurs. Je ne pouvais plus concevoir que je n'avais rien à dire sur quoi que ce soit et que ma vie, en définitive, était un long calvaire auquel seule la mort mettrait fin. Ça n'avait pas de bon sens ! J'avais 28 ans et je n'allais tout de même pas passer le reste de mon existence à me plaindre de mon sort !

Après deux tentatives de suicide, anonymes et ratées (l'autodestruction est aussi un suicide lent), je me suis dit que si ni le bon Dieu ni le Diable ne voulaient de moi, j'allais être heureuse. Je ne pouvais plus m'endurer ! Et j'ai entendu, au fond de moi, une petite voix qui disait : « Ma petite, assieds-toi, arrête de te plaindre, regarde ton nombril puis fais le ménage de ta vie. » Wow ! Tout un contrat ! Mais c'est fou ce que ce « j'en-peux-plus » a provoqué ! *La lumière entre toujours par une fissure*, disait Leonard Cohen.

Pendant des semaines et des mois, j'ai vu et revécu des situations et des événements qui m'avaient marquée, blessée, traumatisée même. J'ai haï du monde comme ce n'est pas possible. J'ai écrit, écrit et encore écrit tout ce que je ressentais. J'ai adressé des lettres abominables à des personnes qui m'avaient fait souffrir ou à qui j'en voulais pour toutes sortes de raisons. Et j'ai brûlé ces lettres. Parce que j'étais dans un état de colère indescriptible et qu'aucun mot, aucune phrase n'étaient filtrés. J'étais folle de rage et je crachais, sans retenue, tout le venin qui m'empoisonnait. Toutefois, quelque chose en moi mettait un bémol, sachant pertinemment que je manquais d'objectivité et qu'une fois la vapeur échappée et le couvercle replacé, je pourrais regretter certaines paroles puisque je verrais les choses autrement. En revanche, si, par la suite, je décidais d'écrire à Y ou Z, je le ferais non dans le but d'attaquer et d'accuser, mais pour me libérer et pardonner.

La prudence est de mise quand on fait le grand ménage parce qu'on risque de balancer par la fenêtre des ordures qui vont atterrir sur la tête de quelqu'un qui ne le mérite pas. *Mais*... quelle libération de vomir sa colère, sa rage et son agressivité. Je dis « vomir » parce que, à certains moments, je me sentais si remplie d'amertume que je me précipitais aux toilettes pour me vider. Un genre d'exorcisme, quoi !

Puis, graduellement, le calme est revenu. Je pleurais souvent et néanmoins pas pour libérer ma colère, comme c'était le cas depuis l'enfance, mais pour laisser s'évacuer et s'écouler en douceur toute la peine qui m'habitait. Je me sentais mieux. Je n'en voulais plus aux autres, mais à moi peut-être un peu. Et j'ai craint de commencer à me taper sur les doigts pour avoir laissé les autres me faire du mal et pour avoir fait souffrir aussi d'autres personnes en étant simplement ce que j'étais. En effet, je me suis rendu compte que j'avais blessé pas mal de gens autour de moi, qui n'avaient rien à voir avec ce que j'avais vécu et à qui je n'avais rien à reprocher. Quand on est mal dans sa peau, on *est* la douleur, la colère, la souffrance et l'agressivité qu'on porte en soi. On réagit en étant tout ça et on ne le voit pas. On est juste enragé à temps plein, même quand on sourit.

Lorsque j'ai émergé, je suis devenue un peu plus conciliante. J'avais toujours cru que c'était *la faute des autres*, qu'ils étaient responsables, et moi, la victime, mais j'étais loin de la vérité, et ça m'a donné un grand coup à l'ego. Car autant les autres m'avaient fait la vie dure, inconsciemment bien des fois, autant j'en avais fait de même à leur égard ou envers quelqu'un d'étranger à la situation.

C'est là, à ce moment précis de mon cheminement, que j'ai cessé de regarder les autres avec une loupe et que j'ai tourné la lunette de mon côté. C'est curieux comme on devient plus humble à cette étape. Rafraîchissant et stimulant aussi de constater qu'on a parcouru un si long chemin pour finalement revenir chez soi et tout redécorer selon ses choix, ses goûts, ses désirs, ses sentiments et ses passions afin de se dire, de s'exprimer et de se révéler à soi-même et à ceux qu'on choisira de laisser entrer, dorénavant. Ce moment, de panique et de grâce, n'est pourtant que le début de l'ascension vers le bonheur. Car dès cet instant, j'ai compris que plus rien ni personne ne pouvait me blesser ou me nuire à moins que je ne leur en donne la permission. Et il n'en était pas question !

Bien sûr, la partie n'est jamais gagnée tant qu'on n'a pas atteint le sommet. Mon sommet, à moi, je l'aurai atteint – je l'espère – quand je mourrai. D'ici là, j'ai d'autres étapes à franchir, et je ressentirai de la fatigue, c'est certain. Je surmonterai des obstacles, je tomberai, je serai égratignée, je me relèverai et je continuerai. Je serai souvent en rogne contre cette foutue montagne qui n'en finira plus, selon moi, d'être abrupte, mais j'en ai maintenant gravi plus de la moitié. Et je suis drôlement fière de ce que j'ai accompli parce que je n'ai pas lâché et je ne le ferai jamais ! Tous ceux qui en sont rendus au même point le confirmeront : plus on monte, plus l'atmosphère est douce. Les couleurs se font éclatantes. Les odeurs se raffinent.

La vue est imprenable. On voit de loin tout ce qu'on n'avait jamais vu avant parce qu'on était trop près. Les autres montagnes deviennent des collines. Les collines, des cailloux. Les cailloux, des grains de sable. Les grains de sable ? On ne les voit même plus. On ne se rappelle même pas qu'ils aient existé.

Le plus extraordinaire pour moi, cependant, c'est de constater combien je me sens gigantesque et sans limite, moi qui me suis si longtemps considérée comme infiniment petite, minuscule et insignifiante. Aujourd'hui, je suis une géante, et tout me semble petit, minuscule et insignifiant. Les rôles sont inversés parce que j'ai changé de position et d'attitude. Il n'y a plus rien de menaçant. Je suis devenue la montagne, *ma* montagne. Comme vous, la vôtre.

Le but de ce livre, comme vous le voyez, n'est pas de se taper sur la tête ni sur celle des autres ou de trouver des coupables pour endosser la responsabilité de ce qu'on a vécu et de ce qu'on est devenu. L'objectif est essentiellement de découvrir les attitudes et comportements développés depuis l'enfance en réponse aux événements qui les ont provoqués. Plus précisément, on essaiera de déterminer pourquoi on se cache toujours derrière les mêmes prétextes pour s'empêcher d'avancer ou pour saboter notre droit au bonheur. C'est en y voyant plus clair qu'on saura désormais où poser les pieds.

Les histoires qui suivent ressemblent à la vôtre. Le premier dénominateur commun, c'est qu'elles mettent en lumière des attitudes et comportements récurrents développés à la suite d'une ou de plusieurs expériences traumatisantes ou de chocs émotionnels. Le deuxième dénominateur commun, c'est que chaque personne s'en est sortie à sa façon, qu'elle a trouvé un moyen d'y parvenir et que quelqu'un est là pour le raconter.

En les lisant, vous vous reconnaîtrez et vous découvrirez que vous possédez tous les ingrédients nécessaires pour vous concocter une vie heureuse. Croyez en vous. Avancez et foncez, car aucun obstacle n'est plus imposant que la force qui vous habite. *Tout* ce que vous voulez est à votre portée. Levez-vous et allez le chercher. C'est la seule façon de l'obtenir.

Quand on a faim, on fouille dans le réfrigérateur et on se cuisine ce qui nous fait envie. Même chose pour le bonheur. On fouille en soi et on le trouve. Il n'y a aucune raison de s'en priver parce que *le bonheur c'est comme du sucre à la crème. Quand on en veut, on s'en fait.* Et son plus grand avantage, c'est de rassasier et de combler sans faire engraisser.

1

Ce n'est pas ma faute

L'histoire de Steve

Je m'appelle Steve, et j'ai 38 ans. Ma propre histoire m'a enseigné ceci : quand les choses vont bien, on s'encense ; quand elles vont mal, on accuse et on critique les autres. Dans mon cas, quand ça allait bien, c'était grâce à moi ; quand ça allait mal, c'était la faute des autres. Pourquoi ?...

Ça m'a pris des années avant de m'apercevoir que je faisais preuve d'arrogance et de mépris envers les gens. Je ne m'en rendais pas compte. Pour moi, les autres étaient des nuls, et tout ce qui se passait de travers dans ma vie, c'était leur faute. Jamais je ne me remettais en question. C'était une évidence. Une incontestable vérité.

Le 10 février 2004, je me suis rendu à une soirée offerte en l'honneur de trois hommes d'affaires (dont je faisais partie) qui s'étaient démarqués par leur implication et leur savoir-faire dans le déroulement et la conclusion d'un dossier extrêmement lucratif pour l'entreprise. Le contrat qu'on avait fait signer aux dirigeants du marché des États-Unis nous rapportait plus de dix millions de dollars. Il y avait de quoi fêter ! Surtout avec le bonus auquel j'avais droit. On était trois, mais selon moi j'avais accompli le plus gros du travail, alors ma prime serait nécessairement plus élevée que celle des autres.

On nous a appelés au micro, chacun notre tour, et on a prononcé un discours de remerciement et de bla bla bla qui ne voulait rien dire. Personnellement, je travaillais davantage pour la gloire et le salaire que pour le prestige de la compagnie. Je me faisais les griffes et, éventuellement, j'aurais acquis assez d'expérience et rencontré suffisamment de gros bonnets pour démarrer ma propre entreprise et manger les profits de celle qui me nourrissait présentement.

Je n'avais pas plus de morale qu'un asticot. Mon but était d'arriver au sommet. Et s'il me fallait écraser tout ce qui bougeait pour y parvenir, je n'avais aucun problème avec ça. La fin justifiait les moyens. Je démarrais au quart de tour, je vivais dangereusement et... seul (qui aurait voulu d'un taré égocentrique et prétentieux comme moi ?), dans un condo, à Toronto. Le grand luxe ! J'adorais ça. Quand je voulais une fille, j'allais la cueillir dans une discothèque, et comme j'avais une gueule assez impressionnante, je trouvais preneuse à tout coup. Une petite vite puis : « *Bye, baby. Don't call me, I'll call you.* » Aucun respect. Aucune moralité. Mais les femmes m'aimaient, et j'en profitais.

Quand la soirée s'est terminée, j'étais un peu amoché. Je ne supportais pas l'alcool. Pierre, que j'avais toujours regardé de haut et considéré comme mon valet de pied, s'est offert pour me raccompagner, mais j'ai refusé. Je n'allais sûrement pas m'abaisser à me faire reconduire par un exécutant. Je me suis donc rendu dans le stationnement souterrain où se trouvait ma voiture et dirigé vers la sortie. Comme il était tard et que j'avais hâte d'aller me coucher, j'ai fait un *stop à l'américaine* et je suis parti. Pierre me suivait, pas très loin. Les rues étaient passablement désertes à cette heure de la nuit, alors je n'ai pas cru pertinent de m'arrêter à l'un des feux rouges. Et bang ! L'accident !

Quand je me suis réveillé, je n'avais aucune idée de ce qui s'était passé. Pierre était assis sur une chaise à côté de mon lit et il somnolait. Où est-ce que j'étais ? Qu'est-ce qu'il faisait là, lui ? Et moi, pourquoi j'avais si mal ? Je pouvais à peine bouger, et j'avais l'impression que mon visage et mes mains étaient en feu. Je souffrais atrocement tout d'un coup. Et je me suis mis à râler. Pierre s'est réveillé.

« Steve !!! Infirmière ! Infirmière ! »

Quoi, infirmière ? Qu'est-ce qu'il radotait, celui-là ? Et paf ! Tout m'est revenu en mémoire. Un accident ! J'avais eu un accident.

« Steve ! Tu nous as fait une de ces peurs !

– Je suis là depuis quand ?

– Sept jours. Tu es là depuis sept jours.

– Sept jours ? Comment ça ?

– Tu te souviens de la soirée... ?

– La soirée ? Ah... la soirée. Oui, je crois...

– J'ai voulu te raccompagner chez toi, mais tu as refusé. Je t'ai suivi au cas où... Mais arrivé à un feu rouge, tu n'as pas arrêté, et une auto qui venait sur ta gauche n'a pu t'éviter.

– Et... ?

– On ne s'explique pas pourquoi, mais ton auto a pris feu.

– Et je suis sorti comment ?

– Je t'ai sorti. Malheureusement, les flammes se sont répandues trop vite, et je n'ai pas eu le temps...

– Le temps de quoi ?

– Le temps d'éviter ça (il me pointe du doigt).

– Éviter quoi ???

– Steve, tu as été brûlé au second degré, principalement au visage et aux mains. Je suis désolé.

Tout à coup, j'ai compris.

– Qu'est-ce que j'ai l'air ?

– Les médecins disent qu'il te faudra quelques greffes.

– Quelques greffes ? Ce n'est pas vrai ! Tu m'as laisser brûler ?

– Steve, je t'en prie. J'ai fait tout ce que je pouvais. Tu ne vas pas me reprocher ce qui t'arrive quand même ! Regarde mes mains. Elles sont bandées parce que je me suis brûlé, moi aussi, en te sortant de là.

– Va te faire foutre !

– Je regrette, Steve, mais ce n'est pas ma faute. Ne t'en prends pas à moi. Ce n'est la faute de personne d'autre que toi. Je suis désolé de te dire ça, mais ne me rends pas responsable de tes conneries ! Tu as toujours raison, et les autres, tort. Il fallait bien que ça s'arrête un jour. Je reviendrai demain. »

Pierre est parti, et l'infirmière m'a fait une injection. Puis je me suis endormi, et il semble que j'ai déliré toute la nuit : « Non, ce n'est pas ma faute. Je m'excuse, Maman, ce n'est pas ma faute. Je ne l'ai pas fait exprès. Elle a lâché ma main. »

Et tout ce que j'avais occulté et essayé d'oublier a refait surface, comme si ces événements s'étaient produits la veille.

J'avais 13 ans. Suzie, ma petite sœur, en avait 5. Ma mère préparait le dîner et elle m'a demandé d'aller chercher du lait au dépanneur. Quand Suzie m'a vu partir, elle s'est mise à pleurer.

« Maman, je peux l'amener avec moi, si tu veux.

– D'accord, mais tiens-lui la main et ne la lâche pas des yeux. Si jamais il lui arrivait quelque chose, je ne te le pardonnerais jamais ! Mais j'ai confiance en toi. Tu es un grand garçon. »

En sortant du dépanneur, Suzie a vu un ballon rouler dans la rue. Elle a vitement retiré sa main de la mienne et elle est partie comme une flèche. Un camion arrivait. Elle est morte sur le coup. Devant mes yeux.

Pendant l'enterrement, j'ai voulu glisser ma main dans celle de ma mère, mais elle l'a retirée d'un coup sec. Elle aussi. Rendu à la maison, j'ai couru à ma chambre où je me suis enfermé. Plus tard, j'ai entendu mes parents se disputer. Ma mère a fait ses valises, et elle n'est jamais revenue.

Je suis resté avec mon père qui ne m'a jamais reparlé ni de ma sœur ni de ma mère. C'était un homme d'affaires bien connu. Il n'avait pas beaucoup de temps pour s'occuper de moi, mais une nounou l'a fait à sa place tant que je n'ai pas été assez grand pour le faire moi-même. Mon père a ensuite payé mes études à l'université, et il est mort d'un arrêt cardiaque le jour de mes 30 ans.

Je me suis toujours senti coupable de la mort de Suzie, mais j'ai répété en moi-même un million de fois par jour, toute ma vie durant : *Ce n'est pas ma faute ! Ce n'est pas ma faute ! Ce n'est pas ma faute !* Conséquemment, je n'ai jamais voulu accepter aucune responsabilité. Tout était la faute des autres. Pas la mienne. Ç'aurait été trop dur d'admettre que je pouvais être responsable de quoi que ce soit. Pour moi, ça aurait signifié que j'avouais être coupable d'un crime que je n'avais pas commis. L'enjeu était trop gros, et je ne pouvais y faire face.

Je suis resté à l'hôpital pendant deux mois. J'étais défiguré. Pierre venait me rendre visite tous les jours, malgré mon arrogance et mon humeur massacrante. Puis, un après-midi, une femme que je ne connaissais pas est entrée dans la chambre.

« Bonjour Steve. Je m'appelle Lili.

– Je vous connais ?

– Un peu. Vous ne vous souvenez pas de moi, c'est certain. Je suis la femme qui a heurté votre automobile.

– Ah ! C'est vous, ça ! Qu'est-ce que vous voulez ?

– Je voulais que vous sachiez... Ce soir-là, je rentrais du boulot. Je suis mère monoparentale, et je gagne ma vie en travaillant comme serveuse dans un restaurant. Quand l'accident s'est produit, je venais tout juste de décider de laisser ma fille chez sa gardienne. J'avais fait des heures supplémentaires et j'ai pensé qu'il était préférable qu'elle dorme là-bas. Vous savez, chaque jour que Dieu fait, je remercie le ciel de ne pas être allée la chercher. Elle a 5 ans. Elle aurait pu mourir, cette nuit-là. Je suis convaincue qu'un ange nous a protégées.

– Ouais, un ange. Elle s'appelle comment, votre fille ?

– Suzie. »

J'ai cru mourir en entendant prononcer son nom. Tout a chaviré. Et j'ai compris, à cet instant même, que j'aurais pu tuer, une autre fois, ma petite sœur. Mais cette fois-là, c'est trois personnes de plus qui y seraient passées : Suzie, Lili et moi.

En quittant l'hôpital, j'ai entrepris une thérapie, mais je n'ai pas traîné chez le psy pendant des années. Je suis allé me chercher des outils pour me reconstruire moi-même et je l'ai fait, jour après jour, semaine après semaine, mois après mois, année après année.

On ne sait jamais ce qui se cache derrière le masque des gens qu'on rencontre. Je pense sincèrement qu'il n'y a personne de foncièrement méchant. Il y a des êtres qui souffrent, qui occultent ou gèlent la souffrance et qui, pendant toute la période du déni, font suer pas mal de monde autour d'eux. Ç'a été mon cas. Et n'eût été de cet accident, qui sait quoi ou qui d'autre j'aurais pu détruire ?

Je remercie le ciel que moi seul ait eu à subir les contrecoups de mon inconscience. Je sais, aujourd'hui, que je n'ai pas tué ma petite sœur, et je peux enfin respirer. Je sais aussi que les médecins qui m'ont soigné ont fait un travail remarquable. Il reste bien quelques petites cicatrices, mais j'ai conservé une belle gueule malgré tout, et je peux me regarder dans le miroir sans avoir honte. La Vie a été bonne avec moi.

Au moment d'écrire ces lignes, je suis marié à une femme merveilleuse, et nous avons une belle petite fille de 5 ans qui s'appelle... oui..., Suzie. Mais je n'oublierai jamais.

Le bonheur ? J'oserai dire qu'il est entré chez moi par une porte que j'avais laissée entrouverte par espoir, sans m'en rendre compte, au cours de la deuxième pire journée de ma vie.

2

Je n'ai pas le choix

L'histoire d'Ellen

Je m'appelle Ellen, et j'ai 52 ans. Je suis fille unique, mes parents sont toujours vivants, et je suis mariée depuis vingt ans à un homme stable, responsable, sérieux. Notre fille a 17 ans. On a toujours eu une vie rangée, organisée et structurée. C'est ainsi qu'on nous a élevés chacun de notre côté. Une place pour chaque chose, et chaque chose à sa place.

Chris et moi n'avons jamais manqué de travail, mais nos horaires ont rarement été les mêmes. Notre fille n'a donc pas connu ce qu'étaient les gardiennes et les garderies, l'un ou l'autre d'entre nous étant présent. Tanya est une fille sérieuse, rangée, organisée et structurée. À l'école, elle excelle en tout, et aucune de ses notes ne doit être inférieure à 80 % sinon c'est la panique.

À un moment, alors qu'elle avait encore le nez plongé dans ses livres, je lui ai demandé pourquoi elle ne sortait pas prendre un peu d'air.

« Je n'ai pas le choix, Maman, il faut que j'étudie.

– Tu peux prendre cinq ou dix minutes pour relaxer et t'aérer l'esprit un peu.

– Non.

– Pourquoi ?

– L'examen est dans deux jours, et il faut que je connaisse la matière sur le bout de mes doigts, alors je n'ai pas tellement le choix.

– Mais tu as toujours de bonnes notes.

– Justement, c'est parce que j'étudie. Il me reste un an au secondaire et ensuite c'est le cégep et l'université. Je ne veux pas échouer.

– Mais Tanya, tes notes sont toujours en haut de 90 % !

– C'est là qu'elles doivent rester. Pour aller en médecine vétérinaire, il faut être excellent. Alors, je n'ai pas le choix de me concentrer sur mes études.

– *Je n'ai pas le choix.* C'est quoi cette expression que tu radotes depuis tantôt ?

– Maman..., tu répètes ça dix fois par jour. »

Je suis restée sans voix. Je ne m'étais jamais rendu compte de ça.

Un soir, j'étais assise au salon, et je regardais mon mari sourire devant une bande-annonce qui passait à la télévision.

« Chris..., tu es heureux ?

– Quoi ?

– Je te demande si tu es heureux.

– Pourquoi tu me demandes ça ? Je n'ai pas l'air heureux ?

– Je te le demande. Es-tu heureux ?

– Ben oui, je suis heureux. Toi, tu ne l'es pas ? »

Une chaleur fiévreuse m'a traversé le corps. J'avais envie de crier : « Non ! je ne suis pas heureuse ! Ça fait quinze ans que j'ai cette maudite boule dans la gorge ! Non ! Je-ne-suis-pas-heureuse ! Et puis, tu sais quoi ? Je déteste ce canapé où je m'écrase le derrière chaque soir à la même heure pour écouter le même roman-savon dans lequel tout le monde se plaint de sa vie sans jamais rien y changer ! J'en ai par-dessus la tête de tous les drames télévisés qui ne font que... me renvoyer l'image de ma propre déception et de mes frustrations. »

J'ai explosé. En dedans. J'étais si mal que je suis sortie prendre une marche. Et j'ai pleuré comme je ne l'avais pas fait depuis... quinze ans. Quinze ans... Pourquoi quinze ans ? Qu'est-ce qui s'est passé il y a quinze ans ? Je ne veux pas le savoir ! J'ai peur de le savoir. Il faut que je le sache.

Il y a quinze ans... bien sûr. On a déménagé dans une maison plus *fonctionnelle*. Celle qu'on habitait était trop grande.

« La maison est trop grande », m'a dit Chris un vendredi matin.

– Oui, mais on est trois maintenant.

– On va trouver quelque chose d'aussi confortable, qui va nous coûter moins cher. Comme tu le dis, on est trois, alors on n'a pas le choix, il faut mettre les priorités à la bonne place si on veut arriver.

– Mais on travaille tous les deux et on gagne assez, non ?

– On gagne assez, mais je n'ai pas envie de gagner juste *assez* toute ma vie. La petite va grandir, aller à l'école, et la première chose qu'on va savoir, elle sera à l'université. Il faut prévoir.

– Et on va s'installer où ? Tu as une idée ?

– On a rendez-vous demain, à 10 heures, avec l'agente immobilière.

– Ah, c'est l'fun que je le sache. J'aurais aimé ça que tu m'en parles.

– Je t'en parle, là. »

On était mariés depuis cinq ans, à cette époque, et Chris aimait bien sentir qu'il gérait les situations. Ça me choquait, mais je mettais de l'eau dans mon vin. C'était un bon conjoint, un bon père et, pour tout dire, un sacré amant ! On s'entendait bien, et je n'avais jamais eu à me plaindre, jusque-là.

Le lendemain, à 10 heures, on visitait la maison. Elle aurait pu convenir, mais il manquait quelque chose d'essentiel : un espace...

« Je vais le mettre où, mon piano ?

– Ellen ! On s'en fout de ton piano ! Tu tapes dessus une fois par mois, alors ça sert à quoi de le garder ?

– Je m'excuse, Chris, mais il n'est pas question que je m'en sépare !

– Ellen, tu travailles quarante heures par semaine, tu voyages une heure par jour, tu as une fille de deux ans et un mari. Où penses-tu trouver du temps pour pianoter ?

– Mes grands-parents m'ont offert ce piano quand j'avais 7 ans. J'ai passé mes plus belles heures à jouer du Bach, du Beethoven, du Strauss et tout ce qui me faisait envie. Et quand on s'est rencontrés, je donnais des spectacles, tu te rappelles ? Et tu n'en manquais jamais un.

– Oui, je comprends. Mais c'était avant. Aujourd'hui, tu as 32 ans, et tu ne joueras plus devant des salles combles, si petites soient-elles. Le piano était un passe-temps, pas une profession. Et aujourd'hui, on n'a pas suffisamment de pièces dans cette maison pour l'y mettre. Plus tard, si tu veux, quand la petite sera à l'université, on videra le sous-soul et on y entrera le piano.

– Et on le met où, en attendant ?

– Ouais... Je pense qu'on n'aura pas le choix : il va falloir le vendre. »

Je n'ai rien ajouté. Je n'ai même pas pleuré. Une boule grosse comme un pamplemousse m'est montée à la gorge. Et la vie a continué. J'étais infirmière dans un foyer pour personnes âgées, et j'aimais mon travail, mais il ne me passionnait pas. Ma passion, c'était le piano. Dieu que j'aurais aimé être pianiste et continuer à me produire devant un public ! Je ne voulais pas être ovationnée ou applaudie. La gloire ne m'intéressait pas. Ce qui me nourrissait, c'était l'énergie des gens qui se rassemblaient pour m'écouter. Pendant quelques minutes, le temps s'arrêtait. On était tous en symbiose, unis, liés, unifiés. C'était magique, et j'aurais tellement voulu que ça ne s'arrête jamais !

Mais, comme le disait Chris : « On n'a pas le choix, dans la vie, il faut établir des priorités et s'y tenir, même si on doit mettre ses rêves aux oubliettes. » Je me demande encore pourquoi je l'ai écouté.

Les années ont passé, et un vide immense a grandi en moi. J'ai alors commencé à me plaindre que j'étais écœurée de mon travail. Et quand on me disait que je pourrais sûrement me réorienter différemment, j'avais déjà une réponse toute faite : « Je ne peux pas quitter cet emploi, voyons ! Je perdrais mon ancienneté, mes avantages sociaux, ma sécurité d'emploi et je devrais recommencer à zéro. Non, je n'ai pas le choix. »

Et chaque fois que je m'entendais dire : « Je n'ai pas le choix », le pamplemousse prenait de l'ampleur. J'étais nouée, étouffée et triste. Profondément triste, même quand je riais. Je m'étais habituée à cet état de *non-joie*, alors je n'investiguais pas pour en savoir davantage. Puisque je n'avais pas le choix, à quoi ça m'aurait servi de creuser pour trouver... un trésor, peut-être ? Enfin..., j'avais Chris et Tanya. Et je les aimais vraiment très fort tous les deux. Alors, de quoi je me plaignais ?

Jusque-là, tous mes anniversaires avaient été fêtés sobrement. Je n'aimais pas les célébrations pompeuses auxquelles je préférais, de loin, un petit souper aux chandelles et une sortie au théâtre, quand une bonne pièce était à l'affiche. Pour mon 51e anniversaire, cependant, Tanya avait décidé d'organiser quelque chose de particulier (qu'elle disait).

« Ma petite Mom, *ce soir*, c'est ta fête !

– C'est ma fête toute la journée, ma chouette.

– Oui, mais *ce soir*, ce sera encore plus ta fête. Je ne te dis rien d'autre. Mets-toi belle parce qu'on te sort, mes copines et moi. Sois prête à 17 heures. »

Chris travaillait jusqu'à minuit, alors j'étais contente que ma fille ait pensé organiser une petite soirée en mon honneur. Ça me faisait plaisir de la voir traficoter quelque chose pour moi. À 17 heures pile, Tanya, Liane et Sarah sont arrivées. Pour commencer, elles m'ont amenée au restaurant où j'ai savouré un repas digne d'une reine et, à 19 h, elles m'ont demandé de les suivre jusqu'à l'auto.

« Où est-ce qu'on va ?

– Secret d'État, Mom. Mais je vais devoir te bander les yeux. T'inquiète pas, je ne te décoifferai pas.

– Je ne suis pas inquiète. Simplement curieuse.

– Tu le sauras bien assez vite. »

On a parcouru quelques kilomètres et, les yeux toujours bandés, elles m'ont aidée à sortir de la voiture. J'entendais parler des gens, mais je n'avais aucune idée de l'endroit où j'étais.

« Je peux retirer mon bandeau, maintenant ?

– Pas encore. Deux petites minutes... »

Elles m'ont guidée jusqu'à un siège où elles m'ont fait asseoir et... j'ai entendu de la musique. Du piano.

« Tu peux retirer ton bandeau, Mom. Bon anniversaire, ma petite Maman d'amour. Je t'aime. »

J'ai ôté mon bandeau pour m'apercevoir que j'étais assise dans une salle de spectacle surplombée d'une scène immense sur laquelle se trouvait le plus grand pianiste que j'ai jamais entendu. La foule était silencieuse au point qu'on aurait entendu voler une mouche. Puis, il s'est approché du micro.

« Ce soir, Mesdames et Messieurs, nous avons le privilège d'accueillir parmi nous une femme exceptionnelle. C'est avec plaisir que je me joins à sa fille Tanya et à ses amies pour lui souhaiter le plus heureux des anniversaires. Dans quelques minutes, Ellen, je vous demanderai de bien vouloir monter sur scène et de me faire l'honneur de m'accompagner au piano afin qu'ensemble nous jouions votre morceau préféré, l'un des plus beaux : l'*Adagio* d'Albinoni. Bon anniversaire, Ellen ! »

Je me suis mise à trembler comme une feuille et à pleurer comme une Madeleine. C'était tellement d'amour d'un coup ! Je ne pouvais y croire. J'étais assise là, dans cette magnifique salle, avec ma fille, mon grand amour, et en face de moi se trouvait l'un des plus grands pianistes qui m'invitait à l'accompagner pour jouer l'*Adagio* ! C'était... irréaliste ! Merveilleusement, terriblement et extraordinairement irréaliste ! Et si c'était un rêve, alors, je ne voulais plus jamais me réveiller.

Après quelques minutes, je suis passée d'un grand rêve à un rêve encore plus grand, que je ne peux décrire avec des mots. Je suis montée sur scène, et j'ai joué l'*Adagio* avec lui. Je ne ressentais ni gêne ni crainte. J'étais là, en dehors du monde, au-delà de lui, au sommet du bonheur. Je n'étais plus Ellen, mais la musique, le piano, l'*Adagio*, Albinoni et la salle tout entière. Je faisais *une* avec la Vie.

À la fin de la soirée, il m'a invitée dans sa loge, et on a parlé pendant plus d'une heure. Je lui ai raconté quelques bribes de ma vie, mais surtout les grands moments de bonheur qui m'avaient habitée chaque fois que mes doigts s'étaient posés sur les touches d'un piano.

« Je rêve encore...

– Vous savez, Ellen, toute personne qui abandonne ses rêves renie son âme et se condamne à ne plus sourire. *Jamais* on ne doit laisser mourir ses rêves, sinon on meurt avec eux. Votre âme a besoin de sourire, Ellen. Faites-lui ce cadeau et jouez, jouez encore jusqu'à mourir de sourire. C'est ce que Tanya veut. Elle me l'a dit. »

Je regardais cet homme si gigantesque et impressionnant de... non, pas de célébrité mais de simplicité. Et je me suis sentie à nouveau revivre. Je l'ai remercié et je suis allée rejoindre Tanya et ses amies qui m'attendaient au grand salon. J'ai serré Tanya si fort dans mes bras que j'ai bien cru lui avoir fracturé une vertèbre !

« Ma petite Mom, ce n'est pas fini. J'ai une autre surprise pour toi.

– Une autre comme ça, Tanya, et je meurs sur-le-champ, je t'assure ! Mon cœur ne tiendra pas le coup !

– Ton cœur va chanter, Mom, crois-moi. »

On est retournées à la maison et, en ouvrant la porte, Chris était là.

« Je suis désolé de ne pas avoir assisté au spectacle, ce soir, mais j'ai pensé t'offrir un petit quelque chose pour me faire pardonner. Tu veux bien me suivre ?

– Où tu m'amènes ?

– Bon anniversaire, Chérie.

– Bon anniversaire encore, ma petite Mom ! »

Mes genoux ont flanché, et je me suis écrasée sur une chaise. Un piano ! *Mon* piano !

« Mais... on l'avait vendu !

– Non, je l'avais remisé. »

Je me suis mise à pleurer encore plus. Je me noyais dans un torrent de larmes !

« Je ne veux plus voir de tristesse dans tes yeux, Ellen. Je suis vraiment trop stupide d'avoir mis autant d'années à comprendre. Mais il n'est jamais trop tard. J'ai pensé que, puisqu'on a économisé suffisamment d'argent pour payer les études de Tanya, tu pourrais peut-être travailler deux ou trois jours par semaine – comme tu veux – et consacrer le reste du temps à la musique. Qu'est-ce que tu en dis ? Oh... et pendant que j'y pense, tu es invitée à te produire sur la scène du Capitole lors d'un gala spécial qui aura lieu dans deux mois. Je me suis permis d'accepter. »

En quittant la salle de spectacles, ce soir-là, j'avais déjà pris une décision importante : celle de réorganiser ma vie autrement et de ne plus jamais laisser quiconque – même moi – me dire que je n'avais pas le choix. Le piano a toujours été ma passion, et en me retirant le choix de m'exprimer à travers elle, je me suis éteinte, en dedans, un peu plus chaque jour.

Ce soir de mes 51 ans, je me suis réapproprié ma vie, et je dois une grande part de ce bonheur à ma fille et à mon mari. Je ne vais pas abandonner mon travail parce que j'aime m'occuper des aînés. Ils m'ont toujours tellement appris. Cependant, je le ferai à mi-temps parce que j'ai bien l'intention de me remettre au piano, de ranimer la flamme, de redevenir cette flamme et de briller, d'étinceler comme je ne l'ai jamais fait.

Être heureux, ce n'est pas seulement un choix ou un droit, c'est une responsabilité envers soi-même et ceux qui nous aiment. Et désormais c'est en jouant du piano que je vais célébrer tous les bonheurs à ma portée. Je n'en laisserai échapper aucun parce que la vie est trop courte pour passer à côté de l'essentiel et trop longue quand l'âme a cessé de sourire.

3

Je n'aimerai plus !

L'histoire de Line

Je m'appelle Line et j'ai 50 ans. Je suis mère d'une jeune adolescente et divorcée depuis trois ans. Aujourd'hui, je peux prononcer le mot *divorce* sans m'effondrer, mais ça m'a pris du temps. J'ai fait du ressentiment, j'ai pleuré, j'ai détesté mon ex, je me suis haïe, j'ai déprimé. Puis un jour, la Vie s'est manifestée...

Jim et moi nous sommes rencontrés en 1986. Le coup de foudre ! On ignorait tout l'un de l'autre, mais on ne pouvait pas vivre l'un sans l'autre plus d'une heure. Alors, on a emménagé ensemble au bout de trois mois. Quelle intensité ! On se regardait, et la Terre cessait de tourner, les oiseaux suspendaient leur vol, les bruits s'estompaient, et le Soleil, la Lune et les étoiles ne brillaient que pour nous. Rien d'autre n'existait.

C'est incroyable comme on peut se sentir important quand quelqu'un nous aime. On devient le centre de l'univers d'un autre être humain. *La* clé de son bonheur. *La* raison qui le fait se lever le matin, sourire pendant la journée, et courir à la maison après le boulot pour accueillir un câlin, une caresse, une étreinte, un baiser et faire l'amour jusqu'à l'épuisement. C'est l'explosion de l'un vers l'autre, de l'un dans l'autre. Le sentiment de s'appartenir mutuellement, de devenir l'autre, de s'y mouler, de s'y intégrer, de s'y infiltrer, de s'y installer et d'y rester. Rien n'est plus fantastique que ces instants de pur bonheur naïf et aveugle.

Sept mois après notre divorce, j'ai été mieux en mesure d'analyser ma relation avec Jim. Quand on est impliqué, on ne voit rien que ce qu'on souhaite voir. Et quand ça boite un peu, on évite de prendre le recul qui nous permettrait d'évaluer correctement la situation. Tout à coup on s'apercevrait que plus rien ne va et qu'il faut agir. Agir, c'est bien, passe encore. Mais si agir n'était pas suffisant ? S'il fallait envisager la séparation ? Oh, non ! L'inconfort existentiel et l'éloignement sont bien moins menaçants. C'est, en tout cas, ce que je croyais.

Douze ans après notre première rencontre, par un beau samedi du mois d'avril, juste avant Pâques, je m'apprêtais à faire la lessive et, contrairement à mes habitudes, j'ai fouillé ses poches de pantalon pour m'assurer qu'elles étaient vides. Il n'y avait qu'un papier chiffonné que j'ai déposé sur la table sans y porter attention. Je suis allée au sous-sol et, en revenant à la cuisine, quelque chose me *chicotait*, comme s'il fallait que je lise ce papier. « Bah ! c'est une facture. » Toutefois, l'estampe du fleuriste a attiré mon attention. « Un fleuriste ? Ne me dis pas que Jim est devenu romantique ! » Je jette un coup d'œil : *Trois roses rouges* à être livrées le jour de Pâques à... *Nathalie.* Mon sang s'est figé dans mes veines. Je n'avais plus de salive et je croyais que j'allais m'évanouir. « Ce n'est pas vrai ! Pas lui ! Dites-moi que je rêve ! » Sans faire ni un ni deux, j'ai décroché le combiné du téléphone et je l'ai appelé. Une sonnerie... deux...

« Allô !

– C'est qui, *Nathalie* ?

– Hein ?

– C'est qui, *Nathalie* ?

– Qui t'a dit ça ?

– Ce n'est pas vrai, Jim ! Tu n'as pas fait ça !!!

– Attends, Line, j'arrive. »

Je le sentais nerveux. Coupable. Moi, j'étais incapable de verser une larme, mais j'avais l'impression de me décomposer de l'intérieur. Ça ne pouvait pas être ça. Pas *lui*. Il était l'honnêteté même. On avait une fille de 11 ans, une vie un peu monotone, c'est vrai, et pas trop de rapprochements, mais après douze ans de mariage, tous les couples en arrivent là. Ce n'était pas une raison pour détruire notre relation avec la première venue !

Justement... Jim n'était pas du genre à se payer une aventure d'un soir. C'était plus sérieux que ça, et c'est *ça* qui m'effrayait. Quand il est arrivé, on s'est assis, j'ai pleuré, il m'a consolée et on a parlé comme on ne l'avait pas fait depuis des années. Il m'a avoué qu'il la rencontrait régulièrement depuis un an et, bien qu'il ait eu maintes fois envie de me le dire, il ne savait pas comment faire. Il m'aimait, mais j'étais devenue indifférente, et il avait besoin de tendresse, d'affection et d'amour. Il avait *besoin* d'être désiré. De sentir qu'il était important pour quelqu'un.

Je ne pouvais pas nier que je m'étais éloignée de lui depuis fort longtemps et, inconsciemment, je misais sur le fait qu'il m'aimait pour ne rien changer. On ne remplace pas ce qui fonctionne, même si ça roule un peu de travers. On attend que ça casse. Et ça a cassé. Jim était le bon gars, patient, tolérant et fidèle, alors l'idée qu'il pouvait un jour aller voir ailleurs ne m'avait même pas effleuré l'esprit. Néanmoins, on était deux dans le bateau, et il avait aussi ses torts. Il travaillait à l'extérieur de la région et nous *visitait*, ma fille et moi, une fois toutes les deux ou trois semaines. Quand il arrivait, on devait arrêter de vivre pour se consacrer à lui. C'est évident que ça ne pouvait pas durer éternellement. L'amour, ça s'alimente et ça s'entretient des deux côtés. Pas d'électricité, pas de lumière. *Black out.*

Toujours est-il qu'après un long échange, on a décidé de se donner une seconde chance (le cliché habituel !) J'étais surprise et très fière qu'on ait fait preuve d'autant de maturité et d'objectivité dans une situation aussi délicate et chargée d'émotion. J'avais toujours dit que si un homme me trompait, ne serait-ce qu'une fois, je le mettrais à la porte. Pas de *revenez-y*. Pas de pardon ! Facile à dire quand on n'est pas concerné, mais dans le cas contraire, on voit les choses autrement.

Jim a donc rompu avec Nathalie dans les jours suivants et, quoique j'étais convaincue de sa franchise et de sa bonne volonté, cette histoire me hantait. Quelque chose en moi s'était brisé. Un fil qui me liait à lui par la confiance. Et même si j'essayais de toutes mes forces de ne plus penser à eux ensemble, je n'y arrivais pas. Tout me rendait soupçonneuse : des caleçons neufs, une nouvelle chemise, un jeans différent, un changement de parfum (« c'est peut-être elle qui le lui a offert ? »). C'était l'enfer. Les doutes constants. Je pleurais tout le temps. Je ne croyais plus en lui. Ce qui me faisait le plus mal, ce n'était pas tant qu'il m'ait trompée, mais le fait que je ne pouvais plus lui faire confiance. Cette aventure avait tué ma foi en lui. Et si je ne pouvais plus croire en l'homme qui disait m'aimer plus que tout au monde, à qui pourrais-je désormais faire confiance ?

C'est affreux ce sentiment de *non-confiance* qui s'installe, qui condamne à la solitude et à l'isolement si on ne fait rien pour s'en sortir. C'est terrifiant de sentir qu'on ne peut plus croire en personne et que, si on se laisse aller à le faire, on risque encore une fois d'être trahi. Je survivais à la situation, mais je ne vivais plus. Je ne m'appartenais plus.

J'ai pleuré pendant six mois au cours desquels j'ai vécu toutes les émotions possibles et imaginables. Je refaisais surface une demi-journée et je replongeais pendant deux jours. J'émergeais pour reprendre mon souffle et je me noyais de nouveau. Ce dont je ne prenais pas conscience, cependant, c'est que ma fille était le témoin innocent et muet de mes états d'âme et qu'elle les gobait tous.

Un dimanche après-midi, elle vient s'asseoir près de moi, prend ma main et pose sa tête sur mon épaule. « Maman... Je t'aime gros, tu sais. » Je me tourne vers elle pour l'embrasser et je vois de grosses larmes couler sur ses joues. « Est-ce que tu m'aimes encore, Maman ? » Mon Dieu ! Quel coup porté à un cœur de mère !

« Bien voyons, ma choupette ! Tu es la personne que j'aime le plus au monde et jamais je ne cesserai de t'aimer. Même quand je serai morte, je t'aimerai encore et toujours. N'oublie jamais ça.

– Alors, pourquoi tu es triste ? J'ai fait quelque chose ?

– Non, au contraire ! Chaque jour, quand tu te lèves, le Soleil se pousse pour te faire de la place.

– (Rire)

– Je t'assure ! Je te mentirais ?

– (Rire)

– Et tu sais pourquoi il fait ça ? C'est parce que tu brilles tellement qu'on ne le voit presque plus. Quand tu es née, on a parlé, lui et moi, et il m'a dit que tu étais si belle et lumineuse que toute ta vie tu serais un soleil qui brillerait sur le monde et qui réchaufferait le cœur des gens. Surtout quand ils se sentiraient tristes. Ils n'auraient qu'à regarder tes beaux yeux et ton sourire, et ils retrouveraient la joie de vivre. C'est pas beau, ça ?

– Je t'aime, Maman.

– Je t'aime aussi.

– Mais, tu es triste des fois. C'est parce que j'arrive pas à t'ensoleiller ?

– Pas du tout ! Il arrive à tout le monde d'être un peu triste. Ça fait partie de la vie. L'été, il fait parfois soleil, et d'autres jours, il pleut. S'il pleuvait toujours, on serait maussade, et il y aurait des inondations. S'il faisait toujours soleil, on se plaindrait qu'il fait trop chaud, et la terre aurait soif. Tu vois ? Le Soleil et la pluie sont nécessaires pour que tout s'équilibre. Chacun son tour.

– Alors, Maman, il est temps qu'il arrête de pleuvoir dans ton cœur parce que j'ai plus de place pour entrer. Et là, c'est mon tour ! »

Ma fille de onze ans venait de m'enseigner une grande leçon et de me sortir la tête de l'eau. « Sors puis respire parce que moi j'étouffe ! » C'est ça qu'elle voulait dire. J'ai réagi rapidement. Je me suis agrippée et tirée hors de l'eau et j'ai réappris à respirer. Un peu plus profondément. Et de mieux en mieux chaque jour. Puis la vie a repris son cours.

Entre Jim et moi, rien ne s'était détérioré ou amélioré. C'était la stagnation, et notre relation était inodore, incolore et sans saveur. Alors, une fin de semaine, on s'est de nouveau assis pour faire le point et se dire les vraies affaires. Curieusement, presque immédiatement après notre première mise au point, il était devenu ce qu'il m'avait reproché d'être et il faisait tout ce qu'il m'avait reproché de faire. Ça a été, selon moi, sa manière – une manière polie et un peu lâche – de se défiler et de me tenir à distance en attendant que j'en aie assez et que je décide de rompre.

Depuis la découverte de cette facture, cependant, j'avais fait un sacré bout de chemin et travaillé sur moi-même. Je m'étais même préparée à l'éventualité d'une rupture. Je me sentais plus solide et, après mûre réflexion, j'avais fini par comprendre que je n'aimais pas Jim. On avait été dépendants l'un de l'autre depuis le début et on s'était accrochés, comme deux épaves, pour ne pas couler, croyant dur comme fer qu'on était en amour. On s'aimait bien, c'est vrai. Mais je doute qu'on n'ait jamais été réellement amoureux. Amour et dépendance se confondent si aisément.

Après avoir parlé et pesé les pour et les contre, on a finalement opté pour la séparation. On n'allait pas dans la même direction et, en tant que couple, on n'était ni un bon exemple ni une référence pour notre fille. C'était donc la meilleure solution pour tout le monde.

Instantanément, je me suis sentie libérée, comme si je sortais de prison. J'avais beaucoup grandi dans cette épreuve et acquis une maturité émotionnelle et affective que je n'aurais jamais crue accessible. J'étais devenue une femme au lieu de vivre comme une enfant blessée et apeurée d'être rejetée ou abandonnée. C'est dans ce chaos que j'ai découvert, loin dans le passé, des monstres d'émotions refoulées, qui sortaient des tiroirs à pleine pelle. Et cela m'a permis de respirer à nouveau et de me voir sous un angle différent.

Il restait néanmoins un hameçon qui refusait de se décrocher. Je n'arrivais pas à faire confiance aux gens. Pas seulement aux hommes, mais à tout le monde. Je restais sur mes gardes et, pour me protéger et éviter de souffrir encore, j'avais décidé de tirer un trait sur l'amour. *Mieux vaut vivre seule et heureuse que malheureuse à deux.*

Un soir, alors que je zappais pour trouver une émission intéressante à la télévision, on présentait sur l'un des canaux, le film *Maman, j'ai encore raté l'avion*. Je l'avais vu plus d'une fois avec ma fille, mais c'était léger et rigolo. On a donc sorti le *pop-corn* et on s'est installées, collées-collées, pour le regarder une autre fois.

La Vie est cependant subtile et intelligente, et elle connaît bien des détours pour nous attraper dans un virage et nous remettre sur la route, dans le bon sens. En tout cas, c'est toujours ce qui s'est produit pour moi. Et ce soir-là, le message se trouvait dans un passage du film. Il était clair, net, précis, concis et sans ambiguïté : « Décroche l'hameçon et libère le poisson ! »

Vers la fin du film, l'enfant qui tient le rôle principal rencontre, dans un parc, le soir de Noël, une dame qui nourrit des pigeons.

« Tu es perdu, mon petit ?

– Non, je fais un tour par là.

– Un tour à cette heure ? Tu es sûr que tu me racontes la vérité ?

– Ben, je pense que je me suis mis les pieds dans les plats.

– Ah oui ? Comment ça ? Tu veux m'en parler ?

– Ben, je ne sais pas. Je ne vous connais pas.

– Tu n'as rien à craindre, crois-moi. Tu vois cette piaule, là-bas ? C'est là que je me mets à l'abri quand il fait froid. Tu veux qu'on y aille ?

– Bon... O.K. Mais vous, Madame, qu'est-ce que vous faites là, toute seule, en cette nuit de Noël ? Vous n'avez pas de famille ?

– J'en ai eu une.

– Des enfants ?

– Non, je n'ai pas eu le temps.

– Pourquoi ?

– L'homme que j'aimais m'a brisé le cœur, et j'ai décidé que plus jamais je ne souffrirais ainsi. J'ai donc tout laissé derrière, tout abandonné, et je suis maintenant dans la rue. Je prends soin des pigeons. Ils m'aiment et me sont fidèles.

– Vous voulez dire que vous avez décidé de ne plus aimer ?

– C'est ça. Ça fait trop souffrir.

– Il y a quelques années, j'ai reçu en cadeau des patins à roulettes. Je les aimais tellement que je ne voulais pas les porter pour ne pas les abîmer. Puis un jour, ils ne m'ont plus fait.

– Et qu'est-ce que ça a à voir avec mon histoire, petit ?

– Ben, ça se ressemble un peu. Vous avez serré votre cœur pour ne pas le briser, mais à quoi ça vous sert d'en avoir un si vous refusez de l'utiliser ? Je crois que vous devriez peut-être commencer à y penser parce qu'un jour vous pourriez décider de vous en servir, et il ne fonctionnera plus. »

En effet, à quoi sert d'avoir un cœur si on le met en prison ? J'utilisais le mien sans réserve avec ma fille, et je dressais cependant des murs infranchissables autour de moi afin que personne d'autre ne m'approche. Ça n'avait aucun sens.

Ce soir-là, j'ai compris une chose essentielle : l'amour est une fleur magnifique qu'il faut avoir le courage d'aller cueillir n'importe où, même au bord d'un précipice.

J'ai décidé d'être heureux
parce que c'est bon pour la santé.

VOLTAIRE

4

Je ne m'aime pas !

L'histoire d'Isabelle

Je m'appelle Isabelle, j'ai 20 ans et j'étudie à l'université en cinéma. J'ai une sœur, Lidzi, qui a 22 ans, et de bons parents, présents et attentionnés.

Quand j'ai eu 13 ans, je ne sais pas quelle mouche a piqué mes oncles et mes tantes, mais ils ont commencé à me comparer à Lidzi. La pire, c'était Monique, l'obsédée du poids. Chaque fois qu'elle mettait les pieds dans la maison, elle me sortait des idioties du genre : « Si on vous comparait à des légumes, Lidzi et toi, je dirais que Lidzi est une belle grande carotte élancée et ferme, et toi, Isa... (là, elle me dévisage des pieds à la tête) un concombre ! C'est ça ! Un beau concombre bien dodu et appétissant. »

« Non, mais... c'est n'importe quoi ! Tu veux savoir ce que ça fait un concombre dans les dents ? » Décidément, elle n'en manquait pas une ! Chaque fois qu'elle ouvrait la bouche, c'était pour me rabaisser. Je n'étais pas aveugle. Je savais que Lidzi, à 15 ans, était plus belle, plus mince et attirante que moi, qui me débattais dans la pire période de l'existence d'une fille. J'étais petite et *grassouillette*, j'avais des rondeurs aux mauvais endroits, mes seins étaient à peu près inexistants, et mon derrière faisait la taille du Pakistan.

Alors, oui, les remarques de Monique me blessaient. Si au moins elle avait avisé avant de débarquer, je me serais éclipsée. Mais on ne savait jamais quand elle arrivait et encore moins quand elle partirait. Et ma mère ne disait rien parce que c'était sa sœur et qu'elle n'avait pas eu la vie facile. « Ne fais pas attention à ce qu'elle dit, Isa. Elle t'agace, c'est tout. Elle n'est pas méchante. » Pas méchante ? Le pitbull du voisin a plus de tact et de diplomatie qu'elle !

De toute manière, il n'y avait rien de nouveau sous le soleil. Dès que j'ai eu 12 ans, j'ai commencé à être la cible de quiconque éprouvait un besoin irrépressible de se défouler. J'imaginais que c'était parce que j'étais laide. J'encaissais, je souriais comme une idiote et c'est tout juste si je ne disais pas « merci » quand on avait fini de m'insulter. À l'école, j'étais le souffre-douleur des petites prétentieuses de ma classe, et elles ne se gênaient pas pour me rentrer dedans et m'attaquer dans ce qui me faisait le plus mal : mon apparence.

En vérité, je n'étais pas si moche, mais moi, je trouvais que j'avais l'air d'une espèce de grosse truie ! Partout dans les magazines, on montrait de belles filles taillées au couteau : poitrine généreuse, ventre plat, jambes longues et effilées, fesses rondes, visage d'ange, sourire de Mona Lisa. Je voulais leur ressembler. Être attirante et séduisante. J'avais maintenant 14 ans, et presque toutes les filles de mon âge avaient embrassé un garçon *au moins* une fois. Pas moi. Et je voulais que ça change. J'étais malheureuse.

Après observation et compilation de données précises, j'ai fini par enregistrer et sauvegarder dans mon petit ordinateur personnel la mère de toutes les équations : *beauté = bonheur*. En effet, les belles filles avaient un sourire *Crest* estampé sur le visage du matin au soir, elles attiraient les gars comme des mouches sur du miel, elles n'étaient jamais seules, elles avaient confiance en elles, et tout concourait à réaliser leurs rêves et à augmenter leur popularité. Par ailleurs, j'avais lu dans un bouquin que la beauté ouvrait des portes qui restaient closes aux gens moins séduisants et qu'elle s'avérait un élément de réussite quasi infaillible. Donc : *beauté = bonheur*.

À l'école, j'avais entendu une fille raconter à ses copines qu'elle mangeait tout ce qu'elle voulait et qu'elle maigrissait.

Intéressant... À l'heure du dîner, tandis qu'elle se dirigeait vers son casier, je l'ai suivie et je me suis approchée d'elle :

« C'est quoi ton truc pour maigrir en mangeant tout ce que tu veux ?

– Tiens, tu as une langue, toi ?

– ...

– Pourquoi je te le dirais ?

– Pourquoi pas ?

Parce que je ne vois pas pourquoi tu veux maigrir.

– Parce que j'ai l'air d'une grosse truie ! Tu me le dis ton truc ?

– (Sourire) D'accord. C'est pas compliqué, tu manges tout ce que tu veux et tu te fais vomir.

– Eurk ! C'est dégueulasse ! Et puis, tu me vois me lever de table après le repas et dire à mes parents : "Je vous prie de m'excuser, Papa et Maman, il faut que j'aille me faire vomir."

– Franchement ! Il y a des façons de faire un peu plus discrètes que ça ! »

Et elle s'est mise à me raconter en détail (elle adorait avoir un public) tout ce qu'elle mangeait, dans quel ordre elle le mangeait et pourquoi dans cet ordre. C'était hallucinant !

« Utilise ceci ou cela, mais jamais cela ou ceci parce que cet aliment-ci se vomit plus facilement que celui-là. Par ailleurs, n'abuse pas des féculents et oublie le riz si tu ne veux pas te faire exploser l'estomac. Il y a un ordre à respecter pour éviter de te retrouver à l'hôpital. Une copine à moi qui ne savait pas s'y prendre a tellement forcé que le sang lui a pissé par les yeux.

– Ah, c'est intéressant. Sais-tu, je vais y penser... »

Notre conversation m'a un peu sonnée, mais je me suis dit que cette recette pourrait fort bien s'avérer utile un jour. Pour l'instant, je n'étais pas très chaude à l'idée de m'empiffrer et d'aller vomir tout de suite après. Chez moi, on mangeait *santé*, alors je n'avais même pas sous la main la moitié des ingrédients nécessaires à une orgie de nourriture.

Un soir, pourtant, alors que je me trouvais seule à la maison, je me suis installée devant la télévision pour regarder une émission dans laquelle on présentait des *Miss* je ne sais plus quoi. Et tout d'un coup, je me suis sentie encore plus laide et grosse qu'à l'accoutumée. Je suis allée me voir dans le miroir. J'avais l'impression d'être énorme et si peu attrayante ! Mon image me faisait de la peine. Pourquoi je n'étais pas aussi jolie qu'elles ? Pourquoi j'avais une si petite poitrine ? Pourquoi j'avais une bedaine ? Pourquoi mes cuisses n'étaient pas aussi filiformes que les leurs ? Pourquoi ceci ? Pourquoi cela ? Je regardais chaque partie de mon corps séparément, et chacune d'elles avait un défaut qui m'énervait. Je me collais au miroir au lieu de m'en éloigner pour avoir une vue d'ensemble. Et j'ai senti la colère et la frustration monter en moi. *Yes !* C'est ce soir que ça se passe !

Je suis allée fouiller dans l'armoire pour trouver de quoi me mitonner une bonne boulimie, mais il n'y avait pas grand-chose susceptible de calmer mes frustrations (du chocolat, entre autres). J'ai donc pris de l'argent dans mon portefeuille et je me suis rendue à pied au dépanneur où j'ai acheté tout ce qu'il fallait pour me rassasier. Rendue à la maison, j'ai déballé mon sac et j'ai étalé mon précieux butin sur la table comme s'il s'agissait d'une récompense que je m'offrais pour pallier ma piètre estime de moi-même. Mon père et ma mère ne rentrant que dans deux heures environ, j'avais le loisir de prendre mon temps et de jouir de cet instant.

J'ai dégusté tout ce que j'ai mangé, et j'ai mangé tout ce que, par peur d'engraisser, je ne me permettais pas habituellement. Quel soulagement ! Quelle jouissance indescriptible ! La bouffe ! Amie, compagne et consolatrice de mes jours gris. Je l'avais considérée comme une ennemie depuis longtemps, cependant la boulimie me la rendait maintenant si sympathique et amicale ! Je pouvais manger à satiété ce qui me faisait envie sans prendre un seul kilo ! Je venais de trouver la solution idéale. De plus, quand je mangeais, je ne pensais à rien d'autre qu'à me satisfaire et à combler ce vide, ce trou béant qui m'anéantissait depuis deux ans.

J'ai adopté la boulimie sur-le-champ. Au début, je me contentais d'un épisode boulimique, par-ci, par-là, quand mes parents et ma sœur étaient absents, mais j'ai vite fait de développer une dépendance et de me sentir privée et agressive lorsque je ne pouvais accomplir mon rituel. J'ai donc pris le risque d'aller à la salle de bains après chaque repas pour régurgiter ce que j'avais avalé. La maison était grande, et il y avait des toilettes sur les deux étages, ce qui me facilitait la tâche. Je n'aurais pas voulu, pour tout l'or du monde, qu'on me prenne sur le fait !

Après quelques mois, je me faisais non seulement vomir plus souvent, mais je mangeais de moins en moins. J'avais perdu plusieurs kilos, et je me trouvais de plus en plus jolie. Ma mère, bien qu'elle me voyait fondre à vue d'œil, n'avait rien dit jusque-là. Néanmoins, ce n'était pas parce qu'elle gardait le silence qu'elle ignorait ce qui se passait. Elle était intelligente et prudente. Elle savait que, dans l'état où j'étais, j'avais perdu le contrôle et qu'elle risquait de me faire plus de tort que de bien en m'attaquant de plein front plutôt que de passer par la bande.

Ma relation avec les membres de ma famille a toujours été bonne. Je n'ai même jamais haï ma sœur parce qu'on me comparait à elle. Lidzi était vraiment gentille et pas prétentieuse pour deux sous. Elle me disait toujours que j'étais la plus belle de nous deux et que, une fois terminée la préadolescence, je verrais bien qu'elle avait raison. « Ce n'est pas la manière dont te voient les gens, Isa, qui est important. C'est la manière dont *toi* tu te vois. J'aimerais tellement que tu puisses te regarder avec mes yeux à moi ! Tu verrais à quel point tu es une fille formidable. »

Sur le coup, ça me faisait du bien de l'entendre et je la croyais presque. Toutefois, il aurait fallu que j'enregistre ses paroles et que je les écoute à répétition pour demeurer dans un état d'esprit me permettant de me rendre à 15, 16 ou 17 ans (qu'est-ce que j'en savais ?) saine et sauve, sans avoir ressenti, chaque jour, le besoin de me vomir et de m'autodétruire.

Si j'avais su où me mènerait ce comportement, j'aurais parlé à ma sœur et/ou à ma mère. Mais je ne l'ai pas fait. La boulimie m'a donné l'impression, au début, que je contrôlais mon corps, mais j'ai pris conscience assez rapidement que je ne contrôlais absolument rien. L'anorexie et la boulimie me maîtrisaient totalement. Certaines personnes se droguent ; d'autres boivent et d'autres encore utilisent divers moyens pour apaiser leur mal de vivre mais, au bout du compte, on devient tous prisonniers puis esclaves de nos dépendances. Et moi, je n'étais pas rendue dans le plus creux de la vague.

Ce que je ne savais pas, en revanche, c'est que mon père, ma mère et ma sœur étaient au courant de mes orgies de nourriture. Ils savaient que je souffrais d'anorexie et de boulimie et ils étaient allés consulter une spécialiste des troubles alimentaires avant d'intervenir. De toute façon, s'ils m'avaient confrontée, j'aurais tout nié. Jamais je n'aurais admis quoi que ce soit. Et ils le savaient. Ils n'ont toutefois pas attendu que je maigrisse au point de devenir rachitique ou encore de souffrir de dépression profonde, d'aménorrhée ou de scorbut.

Un soir, deux mois avant mes 15 ans, ma mère est venue me voir dans ma chambre :

« Isa, ton père, ta sœur et moi aimerions te parler. Voudrais-tu venir t'asseoir avec nous ?

– Pourquoi ? (Je sentais la menace de l'aveu se profiler à l'horizon.)

– Parce qu'on t'aime, que tu n'es pas heureuse et qu'on veut savoir comment on peut t'aider à traverser cette période. »

Je ne me suis pas obstinée, et je suis descendue au salon. On a toujours été tricotés serrés, tous les quatre, alors je savais qu'ils ne voulaient pas me blâmer, me faire la morale ou me crucifier. Ils souhaitaient simplement qu'ensemble on trouve une solution qui me permettrait de me sortir de ce merdier et de réapprendre à sourire. Et puis, un élément essentiel à ne pas oublier : ils m'aimaient, et y a-t-il quelque chose de plus pénible que de voir quelqu'un qu'on aime souffrir et se suicider à petit feu sans pouvoir l'aider ?

Ma mère m'a souri, elle m'a pris la main et m'a regardée droit dans les yeux :

« Isa, je t'aime. Tu vis une situation qui ne m'est pas familière, et je ne sais pas quoi faire. Peux-tu me dire comment ton père, ta sœur et moi pouvons t'aider à nous aider à t'aider ? »

J'ai éclaté de rire ! Elle était si *cute* et sincère, et tellement pas pathétique ou dramatique. Chez moi, rien n'est jamais un drame (même si je semblais y avoir versé depuis quelques mois). « Le Dalaï-Lama dit toujours, répète souvent ma mère, qu'*il n'y a jamais de cause de panique.* »

On a parlé pendant trois heures. On s'est exprimés chacun notre tour, et ce que j'ai le plus apprécié, c'est qu'ils ne m'ont pas mise sur le banc des accusés pour me juger. Ils n'ont pas fait de moi la malade à soigner ou la cause d'un problème qu'il fallait résoudre à tout prix, pas plus que le centre d'un débat visant à régler un cas. On a échangé, avec tendresse et humour, sur nos appréhensions personnelles, nos craintes, nos doutes, nos peurs, nos déceptions, mais aussi sur nos rêves, nos visions, nos élans, nos passions. Chacun a ressenti le besoin – ou le désir – de se révéler un peu aux autres. Et ça m'a fait du bien de savoir que je n'étais pas seule à me sentir aussi seule et différente, laide, grosse, impuissante, hors norme. Avec eux, j'ai compris que j'étais une fille normale, qui vivait une période un peu chaotique, et comme me l'avait déjà mentionné Lidzi, *temporaire.* En attendant, il fallait quand même aller chercher une aide ponctuelle pour alléger le poids qui pesait sur moi, qui m'écrasait et m'empêchait d'avancer.

Ma mère m'a informée (je ne le savais pas encore) de la démarche que mon père, Lidzi et elle avaient entreprise récemment auprès de cette spécialiste. Ça m'a un peu frustrée.

« Pourquoi vous avez fait ça ?

– Pour comprendre, Isa, Quand quelqu'un qu'on aime vit une période difficile, on veut l'aider, et on ne sait pas toujours quels gestes poser, quoi dire, ne pas dire, quoi faire, ne pas faire. Et ce que tu vis nous concerne et nous touche tous personnellement. Alors, tout le monde a besoin d'un peu de soutien. Tu vois comme on est égoïstes ? (Rires)

– Je n'ai pas envie d'aller en thérapie.

– Tu sais, Isa, si tu veux t'aider, pas de problème, on embarque avec toi. Ne va pas croire que tu seras seule dans cette aventure. On sera ensemble, tous les quatre. Mais si tu refuses de prendre la main qu'on te tend, on ne peut rien faire. C'est toi qui décides. C'est toi qui choisis d'aller chercher les outils dont tu as besoin pour bâtir ta maison. Je te l'ai déjà dit et je te le redis : "Pour aider quelqu'un à se nourrir (sans jeu de mots), on ne doit pas lui donner du poisson, mais lui apprendre à pêcher. Parce que chaque fois qu'on le nourrit, on le rend un peu plus dépendant de soi. En revanche, si on lui apprend à pêcher, il devient autonome, maître de sa vie, et il ne mourra jamais de faim (figure de style, bien sûr)."

– C'est une femme ou un homme, la personne dont tu parles ?

– C'est une femme. Elle s'appelle Shirley, elle est travailleuse sociale et se consacre depuis des années aux jeunes de 13 à 18 ans, gars ou filles, qui éprouvent des problèmes de comportement. Sa spécialité, c'est l'anorexie et la boulimie.

– Et j'en aurai pour combien de temps ?

– Je ne peux pas répondre à cette question.

– (Soupir... réflexion...) Bon, O.K. Je vais y aller. J'en ai assez, de toute façon. »

Je n'ai pas sauté de joie parce que je m'alignais sur une thérapie, mais la perspective de ne pas vivre cette phase de mon existence seule dans mon coin à broyer du noir, à me briser la santé, à me haïr, à me dévaloriser et à ne plus voir le bout du tunnel m'a remonté le moral.

J'ai rencontré Shirley régulièrement pendant un an. Et ma famille a toujours été là. Personne n'a hésité à se mettre à nu devant elle quand il le fallait. Mon père me faisait rire avant chaque rencontre : « Bon, les filles, c'est notre heure privilégiée ensemble. Apportez vos papiers et vos crayons, on va faire nos devoirs. » Tout au sérieux ; rien au tragique.

Je ne sais pas si j'aurais pu m'en sortir à si bon compte sans le soutien, l'amour et l'humour de ma famille. Sans doute que si j'avais été seule, la Vie m'aurait aidée tout autant, mais d'une autre façon parce que j'ai rencontré là-bas des adolescentes et des adolescents qui n'avaient pas la chance que j'ai et qui auraient pu me donner de grandes leçons de courage, de ténacité et d'espoir. Ils étaient si forts, en dedans, qu'ils m'impressionnaient ! Plus forts que moi. Beaucoup plus. Et ils s'en sont sortis comme moi, sinon mieux, avec des outils et des bagages différents des miens.

Tout le monde n'est pas entouré comme je le suis, c'est certain. Mais des Shirley, il y en a partout, qui attendent, pour se manifester, qu'on leur fasse un signe et qu'on leur dise : « Aide-moi ! ». Dès lors, les portes, les cœurs et les bras s'ouvrent pour accueillir, écouter, consoler, comprendre et aimer. Dans ce monde qu'on accuse d'être si froid, il existe une Lumière qui défie toute obscurité et qui dispense sa chaleur d'âme à âme et de cœur à cœur. Prétendre qu'on est seul et abandonné est une illusion parce qu'il existe toujours, quelque part, quelqu'un pour nous aider et nous aimer, à moins qu'on en décide autrement. C'est une question de choix.

Des histoires comme la mienne, il en existe treize à la douzaine. Des histoires qui finissent bien, il y en a tout autant. Qu'on voie davantage les unes plutôt que les autres dépend, selon moi, de la direction dans laquelle on regarde. Comme le disait si bien Lao Tseu : *Pendant que le Sage pointe la Lune, l'idiot regarde le doigt*

Je m'appelle Isa, j'ai 20 ans et, à 14 ans, j'ai appris à pêcher.

5

Je la trompe ou pas ?

L'histoire de Kevin

Je m'appelle Kevin, j'ai 35 ans, je suis marié et père d'un petit homme de 4 ans.

J'ai rencontré Mélanie dans un studio de conditionnement physique où je m'entraînais trois fois par semaine depuis deux ans. Après une rupture sentimentale douloureuse, je suis entré dans une période de flottement qui a duré cinq mois. Les filles qui pensent que tous les gars se remettent d'une déception amoureuse en criant « ciseau » se mettent un doigt dans l'œil jusqu'au coude. Moi, en tout cas, j'en ai arraché. Peut-être parce que je suis un grand sentimental. Peut-être aussi parce que j'aimais ma blonde plus qu'elle ne m'aimait. Enfin...

Un bon matin, c'était le début du printemps, je me suis levé, j'ai regardé dehors. Le soleil brillait, et le fleuve, derrière chez moi, ressemblait à une toile parsemée de milliers de diamants. Les oiseaux chantaient, les grosses corneilles noires gueulaient à tue-tête, le chat de la voisine était en train de faire caca sur mon gazon, et c'est en prenant conscience de la simplicité de la vie et comment la terre continuait à tourner, même si je m'étais retiré de la circulation depuis un moment, que je me suis dit : « Mon vieux Kevin, il est temps que tu rembarques ! »

Je ne sais pas pourquoi, mais j'ai couru au garage, j'ai vérifié l'état de mon vélo, je l'ai nettoyé un peu, je suis rentré dans la maison, je me suis préparé un bon déjeuner, j'ai pris une douche, j'ai nourri mon chat, j'ai sauté sur ma bécane et j'ai pédalé jusqu'au bureau.

Trente minutes d'exercice avant de commencer le boulot. Ça m'a fait un bien fou ! Je suis infographiste dans une grosse boîte et je mange de l'ordinateur à cœur de jour, alors utiliser la bicyclette au lieu de la voiture était une idée géniale que j'ai adoptée sur-le-champ.

En peu de temps, je suis devenu accro du deux roues. Je m'aérais le corps et l'esprit, j'étais plus en forme, de meilleure humeur et je pensais de moins à moins à mon ex, sans compter que mon rendement au travail s'était amélioré. J'aimais ça ! Je me sentais revivre. En revanche, quand il m'était impossible d'utiliser ma bicyclette, j'avais l'impression qu'il me manquait quelque chose, et le conditionnement physique m'est apparu comme la solution de rechange parfaite. Je me suis donc inscrit à un programme qui me permettait de joindre l'utile à l'agréable.

C'est par un beau matin du mois de juin que j'ai vu Mélanie pour la première fois. Elle franchissait la porte du studio, chargée comme une mule, comme si elle partait en voyage pour un mois. Ça m'a fait sourire. Elle a déposé ses gros sacs par terre et a trébuché dessus en se rendant au comptoir. Bang ! Étendue de tout son long ! J'étais gêné pour elle. Vitement, elle s'est relevée sans regarder autour, a poussé un de ses sacs avec son pied et s'est accoudée au comptoir pour parler à la préposée. En galant homme que je suis (bien sûr), je me suis approché d'elle.

« Ça va, Mam'zelle ? Pas de bobo ?

– Ça va, merci. J'aime faire des entrées remarquées. Ça attire l'attention sur moi, et ça m'évite de me présenter.

– En tout cas, ça marche ! Je peux t'aider à porter tes affaires ?

– Non merci.

– Sûre ?

– Tout à fait. »

Pour clore poliment la discussion, elle s'est tournée vers la préposée. De toute évidence, elle n'était pas intéressée à poursuivre la conversation. J'ai souri un peu bêtement et je suis retourné à mes haltères. Elle avait un je-ne-sais-quoi qui m'attirait. Elle semblait avoir du caractère, et j'aime les femmes qui en ont.

Au fil des jours, mes séances de conditionnement physique se sont trouvées de plus en plus conditionnées par la présence de Mélanie. Je n'avais pas osé lui reparler depuis ma piètre prestation de bienvenue, mais j'avais tout de même réussi à savoir son nom par l'intermédiaire d'une amie.

Un samedi matin, pourtant, j'ai décidé de prendre mon courage à deux mains et de tenter une nouvelle approche. Mais... je me suis dégonflé. J'avais trop peur qu'elle me vire, encore une fois. Je suis un homme, quand même. J'ai mon orgueil ! Alors j'ai tourné et retourné tous les scénarios possibles dans ma tête et j'ai finalement choisi de m'introduire dans le vestiaire des femmes (après avoir vérifié que personne ne s'y trouvait, bien entendu). J'ai cherché le casier de Mélanie et j'ai déposé, dans l'un de ses souliers (elle ne pouvait pas le manquer), un bout de papier sur lequel j'avais écrit : « *Dinner with me tonight?* » Puis je suis sorti, et j'ai attendu qu'elle se manifeste.

Ce qu'elle n'a pas fait. À midi, pas de nouvelle de ma belle. J'étais déçu, mais au moins, j'avais essayé. Le face-à-face – en français – aurait sans doute été plus convaincant. Une autre fois, peut-être. Je suis allé me changer et, lorsque j'ai voulu enfiler mon premier soulier, mon pied a buté sur une boule de papier, que j'ai rapidement défroissée pour y lire... c'était quoi ce jargon ? Trois courtes phrases écrites en... je ne savais pas quelle langue. Ça ressemblait à de l'italien ou peut-être plus à de l'espagnol : « *Estoy ocupado, esta noche. Mañana, si quieren. Venga a juntarme aquí a 6:00 p.m.* »

Ça ne pouvait être qu'elle ! Mais je n'allais pas lui demander de traduire. Alors, j'ai décidé d'aller dîner chez l'Italien. Quelqu'un pourrait certainement m'aider. En tout cas, je n'avais rien à perdre à essayer. Mon ami Gustavo s'est bien payé ma gueule : *« Amico ! Tou f'rait pas la différence entre lé japonais et l'allémand. Cé mot est écrit en espagnol. Doure pour toé dé réconnaître dou langues qui sé réssemblent tant, han ? »* Et il s'est mis à rire. Les pâtes étaient délicieuses. Mais la note était bel et bien écrite en espagnol, et Gustavo ne pouvait pas traduire. Je me suis donc rendu au Café Internet qui se trouvait à quelques pas du restaurant, et j'ai cherché la signification du message dans un site de traduction. Eurêka ! « Je suis occupée, ce soir. Demain, si tu veux. Viens me rejoindre ici à 18 heures. » Oh yeah !!!

Je ne suis pas retourné au studio. Je me suis rendu au centre commercial où j'ai acheté une nouvelle chemise, un pantalon, des bas assortis et même des bobettes ! Je voulais être à mon meilleur.

Le lendemain, à 18 heures tapantes (j'étais là depuis une demi-heure), Cendrillon est apparue au volant de sa rutilante Mustang GT 1982. Je suis sorti à sa rencontre, et elle m'a souri en ouvrant les mains, paumes vers le ciel : « La rouille autour des ailes, c'est pour décourager les voleurs. » Le sens de l'humour en plus ! Craquant ! Elle avait décidément tout pour me plaire. J'ai pouffé de rire en secouant la tête, on a embarqué dans ma Civic et... l'aventure a commencé.

On est devenus inséparables et, un an plus tard, on a emménagé ensemble. Elle travaillait comme adjointe administrative dans un hôpital, et nos horaires étant identiques, on partageait nos temps libres et nos vacances. Puis, lentement et sûrement, l'idée d'avoir un enfant a fait son bout de chemin. Selon nous, il était temps de partager notre bonheur avec un petit être qui ne pourrait que le faire grandir.

Un soir du mois de juillet, Mélanie est rentrée à la maison plus joyeuse qu'à l'habitude.

« Trésor, j'ai une bonne nouvelle !

– Tu as eu une augmentation ?

– (Elle éclate de rire) Salariale, non. Mais j'aurai bientôt une augmentation mammaire et abdominale qui durera quelques mois.

– Le test ! Tu as passé le test ?

– Oui ! et c'est positif. On attend un bébé !

– Mélanie ! T'es mon idole ! »

Positif ! Je n'en revenais pas ! J'allais être papa !

Quelle femme formidable, Mélanie ! Et comme elle était merveilleuse notre aventure ! Qui a toutefois commencé à zigzaguer au cours du sixième mois de sa grossesse. Comme c'est le cas pour bien des femmes enceintes, les relations sexuelles n'occupaient pas le premier rang de ses priorités et elles diminuaient proportionnellement à l'ampleur que prenait son bedon. Donc, nos rapports se sont graduellement espacés jusqu'à en arriver à l'extinction totale.

Par chance, la communication était bonne entre nous. On se racontait tout, et sa plus grande inquiétude était que j'aie une aventure avec une fille plus... enfin, moins grosse qu'elle, qu'elle disait.. « Tu n'as rien à craindre de ce côté, ma puce. » Et j'étais sincère. Je n'avais aucune intention de sauter la clôture. On était ensemble depuis plus d'un an, on s'aimait, on allait avoir un bébé et fonder une famille, alors je n'allais pas tout gâcher pour quelques mois de privation. Et puis, après la naissance d'Emmanuel (on avait appris que c'était un garçon), tout reviendrait à la normale, j'en étais convaincu. En attendant, toutefois, j'avais besoin d'exutoires, et je me suis lancé à corps perdu dans le conditionnement physique, le vélo, la marche et... les plaisirs solitaires.

Finalement, le jour A (accouchement) est arrivé, et tout s'est bien passé. Le bébé et la maman étaient en santé, et moi, j'étais comblé. Au cours des six premiers mois, mes tentatives de rapprochement se sont butées à un refus catégorique, mais je comprenais. Notre vie s'était orientée différemment, et on devait s'adapter : nuits blanches, manque de sommeil, insécurité (pour nous deux); *baby blues*, changements hormonaux, *post-baby blues*, d'autres changements hormonaux, *post-post-baby blues* (pour elle) et que sais-je encore ? Cette étape est très difficile pour la femme. *Et* pour l'homme.

Mélanie avait pris une année sabbatique pour rester avec Emmanuel. Quant à moi, je travaillais toujours au même endroit. Mon salaire suffisait amplement pour nous faire vivre tous les trois, et l'idée qu'elle retourne au travail l'année suivante, et que moi je demeure à la maison, avait commencé à germer dans notre esprit. J'aimais être avec mon petit homme, et rester avec lui à temps plein était un projet qui m'enchantait. D'autant plus que Mélanie était devenue très protectrice, voire possessive avec notre fils. En effet, je devais presque attendre sa permission pour le prendre, le bercer ou jouer avec lui. Ça, ça me dérangeait mais, encore une fois, je me disais que tout rentrerait bientôt dans l'ordre.

Après neuf mois de carence (trois avant la grossesse; six après), mon attitude compréhensive a commencé à zigzaguer, elle aussi. Je n'étais pas un maniaque, mais notre vie sexuelle avait été active, enrichissante et épanouissante, et *je me trouvais maintenant fort dépourvu depuis, du bébé, la venue.* Je blaguais avec Mélanie sur le sujet, mais mes farces comportaient un gros fond de vérité, et je le lui mentionnais, ce qui était jusque-là entré dans l'oreille d'une sourde. On en était au point où elle avait élevé, entre nous, une barrière à ne pas franchir, et les caresses autant que les démonstrations affectueuses ne faisaient plus partie de notre quotidien. Je me sentais de trop et je me demandais combien de temps je pourrais encore tenir à ce rythme.

Comme ma présence à la maison était secondaire, j'ai fini par accepter les heures supplémentaires que m'offrait mon patron. Le travail m'apportait de la satisfaction personnelle, et le conditionnement physique me permettait de décompresser et de me défouler.

Un soir, tandis que je bossais sur un dossier, j'ai reçu un appel d'un copain qui m'invitait à prendre un verre avec quelques amis. J'ai téléphoné à Mélanie pour l'en aviser et je suis parti avec Tony. On a pris une bière, il m'a raconté sa récente aventure torride avec une fille rencontrée sur Internet, et je suis rentré chez moi. Mélanie m'a embrassé sur les joues en murmurant qu'elle était fatiguée et qu'elle allait se coucher. « Tu viens ? », ajoute-t-elle. Avais-je bien entendu ? Vite ! Pas une minute à perdre ! Je me précipite dans la douche, j'en sors cinq minutes après, je m'essuie et je cours à la chambre pour trouver Mélanie... endormie. « Merde ! C'est pas vrai ! » Je venais de manquer le train pas à peu près !

J'ai suivi sa cadence pendant un an. On parlait, discutait, échangeait, s'agaçait, mais ça s'arrêtait là. Je vivais avec une mère, mais ma femme avait disparu. Et j'en avais assez de me masturber.

« Mon Dieu, que t'es vulgaire !

– Je ne suis pas vulgaire, Mélanie. Je veux juste faire l'amour avec ma femme.

– Il y a autre chose que le sexe, tu sauras !

– Mais il y a *aussi* le *sexe* dans un couple. On ne parle pas de cul, Mélanie, on parle d'amour, de partage, de communication, de communion entre nous. Qu'est-ce qui se passe ? Où est-ce qu'on s'en va, nous deux ? Avant d'être enceinte, tu avais le thermostat à *on* continuellement, et là, tu te tiens toujours en dessous du point de congélation.

– Très drôle ! On n'est plus deux, Kevin. On est trois.

– Et ?

– Et... c'est ça. Je n'ai plus le goût comme avant.

– On pourrait aller voir un sexologue ?

– T'es malade ! Je n'ai pas de problème. Je suis en période de *non-désir temporaire*, c'est tout.

– Ah, je t'en prie ! On ne va pas se lancer dans la sémantique.

– Sémantique ou pas, j'ai juste besoin d'un peu de temps.

– Un peu de temps, c'est quoi pour toi, Mélanie ? Tu peux traduire ? Parce que là, ça fait un an et demi.

– Mon Dieu ! As-tu compté les heures avec ça ? »

Rien à faire. On revenait toujours à la case départ dès qu'on se mettait à parler sexualité, désir, caresses ou rapprochements physiques. Je me sentais comme un quêteux qui frappe à la même porte depuis des années. Au début, on l'accueillait avec un sourire, un mot gentil, un geste agréable, une invitation, un *comment-allez-vous* ? Et il quittait sans manquer de s'entendre dire un *vous-êtes-toujours-le-bienvenu*. Mais l'habitude s'étant installée, le quêteux s'est mis à retourner chez lui bredouille une fois, deux fois, cinq fois, dix fois sur dix.

Mendier l'amour de ma femme, je trouvais ça humiliant, et ça n'allait plus durer longtemps. Des occasions de m'envoyer en l'air, ce n'est pas ce qui manquait et, quoique j'aimais Mélanie plus que tout au monde, mes limites étaient sur le point d'être atteintes.

Un mois, jour pour jour, après cette conversation qui a semblé ne mener nulle part, Mélanie m'a téléphoné au bureau pour me demander s'il m'était possible de prendre une semaine de congé.

« Une semaine ? Quand ?

– Comme... la semaine prochaine ?

– Euh... j'sais pas.

– Dans deux semaines, ça pourrait aussi aller.

– Est-ce que je te demande pourquoi ?

– N...non.

– C'est ce que je croyais.

– Tu me fais confiance ?

– Je devrais ?

– Kevin...

– O.K., laisse-moi parler au grand boss et je te donne la réponse pas plus tard que tantôt. »

J'avais trois semaines de congé accumulées, et les gros contrats étaient terminés pour le moment, alors le patron ne s'est pas objecté à ma demande, pour la semaine suivante.

Quand je suis rentré à la maison, Mélanie avait préparé un souper aux chandelles (en quel honneur ???), et on s'est mis à table après avoir siroté une coupe de vin, au salon, en discutant de tout et de rien. Considérant l'éloignement qui existait entre nous depuis plusieurs mois ainsi que son dernier refus de consulter, je ne savais vraiment pas à quoi m'attendre. Elle pouvait tout aussi bien me sauter dessus pour faire l'amour (non, je rêvais... le petit était là) que m'annoncer qu'elle voulait se séparer (ça, c'était possible). J'étais donc un peu nerveux.

« Kevin, j'ai quelque chose à te dire.

– Je m'en doute. (J'avais des papillons qui me vomissaient dans l'estomac.)

– Je veux partir...

– *Quoi ?* Tu veux partir ?

– Laisse-moi finir, Seigneur ! Relaxe !

– Désolé.

– Je veux partir seule pendant une semaine. J'ai besoin d'un peu de temps pour moi. Et si je t'ai demandé de prendre une semaine de congé, c'est que je voulais qu'Emmanuel et toi passiez du temps ensemble. J'ai été très exclusive depuis sa naissance, je m'en rends compte, et il a besoin de toi autant que de moi. D'autre part, en étant seul avec lui, tu pourras faire ce que tu veux, sans que j'essaie de te dire quoi faire, quand le faire, comment le faire et pourquoi le faire, tu comprends ?

– Et tu iras où ?

– Ça t'ennuierait que je garde le secret ? Je te dirai tout à mon retour.

– Je ne pourrai te joindre nulle part ? Et on n'aura pas de nouvelles de toi pendant une semaine ?

– C'est un peu ça. Je sais que je vais trouver ça épouvantablement difficile de ne pas voir Emmanuel pendant sept jours et de ne pas te parler, mais il faut que je le fasse.

– Et *si*, je dis bien *si*... s'il y avait une urgence, je fais quoi pour te contacter ?

– Mon téléavertisseur sera toujours en fonction. *Si* urgence il y a, tu n'as qu'à entrer les sept chiffres de notre numéro et ajouter *911*. Mais ne niaise pas ! *Urgence seulement.*

– Quand même ! Je ne ferais pas de blague avec ça !

– Alors, qu'est-ce que tu en dis ?

– Si c'est ce que tu veux, c'est O.K. pour moi. Tant que tu ne t'envoles pas dans le Sud avec le laitier (rires).

– Je ferais ça, tu crois ?

– Tu le ferais ?

– Le laitier est bien trop vieux pour moi. »

Pour la première fois depuis dix-huit mois, quelques semaines, quelques jours et quelques heures, on s'est couchés en cuiller, ce soir-là. Bon, j'ai un peu éloigné mon devant de son derrière pour éviter de m'émoustiller, mais on s'est tout de même rapprochés. C'était divin ! Câline que ça fait du bien d'être avec la femme qu'on aime et de sentir sa chaleur, son odeur, son énergie, sa peau. Hummm ! C'est l'orgasme olfactif, affectif, psychologique, émotionnel ! Un court moment de bonheur éternel.

Mélanie est partie trois jours plus tard, un dimanche aprèsmidi. Aucun appel, aucune nouvelle pendant une semaine. Moi, je tripais avec Emmanuel. Je retombais en enfance, et j'adorais ça. C'était une semaine magique, et même si Mélanie me manquait (particulièrement quand je changeais les couches !), je ne m'ennuyais pas. *Petit homme* réclamait sa mère de temps en temps, moins cependant que je ne l'aurais cru. Je me sentais un bon père. J'avais le tour avec mon fils et de le voir comme ça, toujours rieur, me confirmait que je l'avais, l'affaire ! Un autre moment de bonheur intense et éternel.

Sept jours plus tard, à 14 heures précises, c'était le retour de l'enfant prodigue. Emmanuel et moi, on s'était mis sur notre 36 pour épater notre amoureuse. Mais quand je l'ai aperçue sur le seuil de la porte, j'ai figé sur place.

« Regarde, Emmanuel, qui est là.

– *Maman ! Maman !!!* »

J'avais les larmes aux yeux. Mon Dieu, qu'elle était belle ! Je n'oublierai jamais cette image. Mélanie était... lumineuse ! Il n'y a pas d'autres mots. Lumineuse et d'une beauté à faire pâlir les Sept Merveilles du monde. Elle était transformée. Transfigurée.

Ça m'a pris quelques secondes avant de reprendre mes sens, de me raccrocher la mâchoire et de me rendre jusqu'à elle pour la serrer contre moi.

« Comment vont mes deux amours ? Vous m'avez beaucoup manqué !

– Les femmes sont à ce point belles juste après l'amour ou quand elles sont enceintes, Mélanie. Et toi, tu es plus belle encore. Qu'est-ce qui s'est passé ? Ne viens pas me dire que tu as fait l'amour *et* que tu es enceinte ?

– J'ai fait l'amour avec moi-même, Kevin, et j'ai accouché d'une femme que je ne connaissais pas, ou très mal. »

On s'est câlinés très fort tous les trois, et on s'est assis.

« Raconte-moi ton voyage. Qu'est-ce que tu as fait ? Où es-tu allée ?

– Laisse-moi parler... Quand je t'ai rencontré, Kevin, j'ai su que ma vie ne serait plus la même. J'ai senti, au plus profond de mon cœur, que jamais je ne voudrais être ailleurs que dans tes bras. Et je l'ai toujours pensé, même dans les moments où je te fermais les miens. J'ai eu mal autant que toi, mais m'aurais-tu crue si je t'avais dit : "Je souffre de te faire souffrir" ? Je ne pense pas. Ou alors, tu m'aurais suggéré d'aller voir une psy au lieu d'une sexologue, et ce n'était pas ce qu'il me fallait, pas plus qu'une thérapie n'est le remède universel à tous les maux. Il faut s'écouter soi-même et aller où, vers qui et vers quoi la vie nous mène. C'est ce que j'ai fait. Tu sais comme je peux être totalement illogique et irrationnelle des fois ? Je n'ai pas failli sur ce point, crois-moi ! Je suis restée égale à moi-même ! J'ai suivi mon intuition du début à la fin sans poser de questions. Je me suis laissé guider jusqu'au bout. Et le résultat me plaît. Si on s'écoutait plus souvent, mieux et davantage, Dieu qu'on éviterait de se leurrer comme on le fait !

– Et elle t'a menée où, ton intuition ? Tu as promis de tout me dire !

– Je ne fais jamais de promesses, tu le sais. Ma parole suffit. Et je te dirai tout demain matin. Pour l'instant, je veux embrasser et coller mes deux hommes. Être bien. Juste bien.

– Est-ce que je t'ai déjà dit que la masturbation ne rend pas sourd (rires) ?

– Ha, ha !!! Je doute fort, Trésor, que tu aies à souffrir, à l'avenir, de douleurs occasionnées par des tendinites. En tout cas, pas pour les mêmes raisons. »

Je ne savais pas encore d'où elle arrivait, mais elle avait changé. Je dirais plutôt qu'elle avait embelli. Ça fait peut-être *téteux* de le dire comme ça, mais sa beauté intérieure – celle qui me l'avait fait aimer dès le premier regard – transparaissait encore plus. Elle était éblouissante, comme si le Soleil brillait en elle et que les rayons sortaient par tous les pores de sa peau. C'était presque... mystique. Comme elle.

Elle m'a raconté son voyage, en me demandant de ne pas en parler. Wow ! Elle est complètement folle, ma femme ! Mais je l'aime comme ça. Elle peut lire dans l'âme et le cœur des gens aussi facilement que quelqu'un d'autre lit un journal. C'est une sorcière. *Ma sorcière bien-aimée.* La mienne.

Il arrive des moments, dans la vie d'un couple, où la tromperie et la tricherie deviennent des options envisageables. On y pense. On va prendre un verre dans un club. On drague un peu. On s'aperçoit qu'on séduit. On a le goût de baiser. On se retient. On rentre à la maison. On ne baise pas. On retourne au club une semaine plus tard. On drague encore. On séduit encore. L'envie de baiser augmente. On se sauve. On rentre à la maison. On ne baise pas. On retourne au club deux jours après. Et ça recommence jusqu'à ce qu'on décide, un soir, de ne pas rentrer à la maison et d'aller baiser. Danger ! Une baise, ça peut coûter *très* cher ! Et est-ce que ça vaut le coup ?

La seule pensée de tromper l'autre devrait suffire à nous faire comprendre que la communication est rompue et qu'il faut la rétablir rapidement. Sinon, c'est le début de la fin.

Mélanie et moi, on a parlé ouvertement et franchement de ce qu'on a vécu, chacun de notre côté, pendant sa grossesse. On n'a pas pu tout expliquer avec des mots parce qu'ils sont souvent impuissants à dire ce qu'on ressent. Ce qu'on a retenu, cependant, et ce dont on va se rappeler, c'est qu'on est deux êtres humains avec des sentiments, des émotions, des forces et des faiblesses et qu'on n'est pas plus ou mieux l'un que l'autre. On fait ce qu'on peut, avec ce qu'on a, dans la mesure de notre conscience. Et si ce qu'on a n'est pas suffisant, il faut aller le chercher ou essayer de le développer. Nous autres, les gars, quand on veut avoir des gros bras, on lève des poids et des haltères. Quand les femmes veulent se découper une taille, elles font de l'exercice. Alors, idem pour le cerveau, le cœur, l'âme et tout le reste. Pas d'effort, pas de résultat. Des efforts, des résultats. Équation facile : 1 + 1 = 2.

Aujourd'hui, je suis vraiment content de ne pas avoir laissé ma libido contrôler mon cerveau. Une panne de désir, ça arrive et c'est *plate* parce qu'on a froid et que ça cause un inconfort. Mais ça ne dure jamais longtemps. Le courant finit toujours par se rétablir quand on a ce qu'il faut à la maison. En revanche, quand on utilise inadéquatement et témérairement l'énergie, c'est dangereux parce qu'on peut, non seulement faire griller les fusibles mais brûler la maison. Il vaut mieux avoir un peu froid pendant quelque temps que de se retrouver *tout nu dans la rue.*

Ce matin, Mélanie a rendez-vous chez le médecin. J'ai l'impression qu'à son retour elle va m'annoncer qu'au cours des prochains mois, elle va subir une autre augmentation mammaire et abdominale. J'ai hâte qu'elle arrive ! Je n'en peux plus ! Quelle famille on fait ! Je ne la changerais pour rien au monde, même si je sens qu'une autre panne de désir se profile à l'horizon (rires). Bof ! ce n'est pas grave, ça ne durera pas...

6

Je t'en veux !

L'histoire de Carole-Anne

Je m'appelle Carole-Anne, j'ai 29 ans, je suis mariée et mère d'un garçon de 5 ans.

J'ai toujours eu le tact et la diplomatie d'un bulldozer. À l'âge de 13 ans, je travaillais déjà dans un dépanneur et j'aurais fait face au diable s'il s'était présenté devant moi. Mon père me disait : « Si quelqu'un fonce sur toi, frappe la première ! Tu es sûre de gagner. » Je trouvais ça drôle. Et j'ai suivi son conseil une fois. Non, deux.

La première fois, j'étais au cégep. C'était l'étape des examens de fin d'année, et j'étudiais à m'en arracher les cheveux. J'essayais de ne pas me coucher trop tard pour être en forme le lendemain parce que la fatigue diminuait mes performances scolaires. Mais un soir, au beau milieu de la semaine, mon voisin de palier a eu la brillante idée d'organiser un party. Je n'ai rien contre, tant qu'on démontre un tant soit peu de respect pour le voisinage. Et ce petit connard n'était pas là quand le respect est passé. Les appartements du cégep étant ce qu'ils sont – peu ou pas du tout insonorisés –, personne ne pouvait fermer l'œil. Jusqu'à 23 heures, j'ai toléré, même si je mangeais mes bas. À 23 h 1, par contre, j'avais le droit d'intervenir. J'ai donc pris une grande respiration et je suis allée cogner à sa porte pour lui demander (poliment) si lui et ses invités pouvaient baisser le ton.

« Oui, oui, pas de problème. Eh ! je te connais toi, t'habites en face !

– Oui, puis je veux dormir !

– O.K., choque-toi pas, on va baisser le volume. »

L'ont-ils fait ? Non ! Vers minuit, des policiers sont intervenus à la suite d'appels logés par des résidants qui se plaignaient du bruit, mais ça n'a calmé l'ardeur des fêtards que quelques minutes. À 4 heures du matin, cette bande de débiles égocentriques étaient encore là à se geler et à se saouler. « Là, ça va faire ! ». J'ai sauté en bas du lit et, sans même prendre le temps d'enfiler une robe de chambre (j'étais en short et en camisole), j'ai foncé vers l'appartement, j'ai cogné, la porte s'est ouverte et j'ai fessé le premier qui s'est présenté. Et ce n'était pas le locataire. Personne n'a porté plainte contre moi. Mon voisin irrespectueux m'a dit, quelques jours plus tard, que j'avais cassé le nez de son copain. « Ben... quand on ne respecte pas les autres, on s'attire des bosses. »

La deuxième fois que j'ai frappé quelqu'un, c'était un cas de légitime défense. Il était 21 heures, et je retournais chez moi après le boulot (je travaillais les fins de semaine). Un homme est arrivé derrière moi, m'a empoignée par la gorge et m'a traînée à reculons sur quelques pieds. Au lieu d'avoir peur, j'ai vu bleu. Je suis devenue folle de rage ! Je lui ai sacré un coup de coude dans le ventre, je me suis penchée et je l'ai pincé à l'intérieur de la cuisse. Il a crié et m'a lâchée. Je me suis tournée vers lui, j'ai mis mes deux mains sur ses épaules et je lui ai envoyé un de ces coups de genou dans les valseuses ! Il s'est écroulé. Et j'ai couru. Couru, couru, couru pendant dix minutes. C'est là que j'ai commencé à trembler, quand je me suis rendu compte de ce qui venait de se passer. J'ai remercié le Bon Dieu de m'avoir ainsi protégée et je me suis félicitée d'avoir suivi des cours d'autodéfense.

Une autre fois, j'ai couru après un gars qui voulait me voler mon auto. Mais c'est une autre histoire, et je ne l'ai pas frappé, celui-là. Quoique si je l'avais attrapé...

J'ai eu une enfance normale, avec des parents normaux, qui m'ont donné tout ce qu'ils pouvaient. Ma relation avec ma mère a toujours été bonne, et elle l'est encore plus depuis que je suis moi-même maman. Comment ne pas aimer ma mère ? Elle est fine comme de la soie, et elle a le cœur grand comme l'univers. Quant à mon père, il est impulsif et grognon, mais ça lui donne du charme. Lorsqu'on gratte un peu la surface, on se rend compte que c'est un gros toutou mal léché qui a fait son chemin à la dure et qui a refoulé pas mal d'émotions. C'est sans doute ce qui explique ses sorties par trop explosives. En fait, ses réactions ont toujours été disproportionnées en regard de l'erreur commise (ou de ce qu'il considérait être une erreur) Petite faute, grosse punition. Mais... c'est mon père, et je l'aime quand même.

Je pense que les parents, peu importent leur attitude et leurs comportements, sont de très bons éducateurs. On aime ce qu'ils font, on adopte. On déteste, on rejette. Tout bien considéré, c'est en suivant leurs bons exemples et en rejetant les mauvais qu'on devient (c'est mon avis) des adultes aguerris, des individus à part entière, et non leur copie conforme. En tout cas, ça prouve une chose : on a le choix de devenir ce qu'on décide d'être. Encore faut-il savoir qui on est et pourquoi on est devenu ce qu'on est avant de décider si on doit et veut changer ou pas.

Personnellement, je n'ai jamais estimé que mon attitude était l'expression d'une colère refoulée à la suite d'un ou de plusieurs événements circonstanciels. J'étais agressive, intempestive et expéditive, mais j'étais aussi gentille, j'avais de la classe et j'imaginais que tout ce mélange formait ma vraie personnalité. L'image que je projetais était celle d'une fille solide, qui savait ce qu'elle voulait et où elle allait, qui fonçait et qui n'avait peur de rien. N'importe qui aurait voulu me ressembler ! Combien de fois m'a-t-on dit : « Eh ! que j'aimerais ça être comme toi, Carole-Anne ! Tu donnes l'impression que le monde t'appartient et qu'il n'y a aucune limite. » Alors pourquoi j'aurais voulu changer une formule gagnante ? Je me sentais souvent mal dans ma peau, avec l'impression que quelque chose bouillait à l'intérieur de moi, mais qui me disait que ce n'était pas le lot de tout le monde ? Ce n'est pas si évident de discerner ce qui nous pousse et ce qui nous freine. Particulièrement quand ce qui nous pousse *est* également ce qui nous freine.

Je pouvais leurrer les étrangers et moi-même – et je l'ai fait pendant quinze ans –, cependant ceux qui me connaissaient bien et qui m'aimaient n'étaient pas dupes et m'ont maintes fois suggéré de me raffiner, d'être plus souple, moins rigide et de faire attention aux autres avec mes gros sabots. Une partie de moi les approuvait ; l'autre les ignorait. Ce que j'étais m'apportait plus de gratifications que d'inconvénients ou d'inconfort. Je n'avais pas le goût de me chercher des poux. D'autant plus que, physiquement, j'étais canon. Ce n'est pas pour me vanter, mais avec du 36-25-36, une personnalité forte, confiante et souriante, un beau visage et de longues jambes bien sculptées, les risques de finir vieille fille sont minimes.

J'ai donc toujours eu l'embarras du choix (ou le choix de l'embarras, c'est selon), mais j'étais excessivement sélective et loin d'être une *Marie-couche-toi-là*. J'aimais les hommes un peu timides, un brin machos (un brin, juste un brin), charmeurs, distingués (je l'étais), patients, persévérants, intelligents, subtils, un peu mystérieux et romantiques. Tous les autres, je... (ça me gêne de le dire) les méprisais. Et plus encore ceux qui salivaient devant moi. Eux me répugnaient.

Le jour où j'ai rencontré Francis, tous les autres ont disparu. On s'est fréquentés un bon moment avant de vivre ensemble, puis on s'est mariés. On travaillait tous les deux et on gagnait suffisamment pour se payer du bon temps et à peu près tout ce qu'on voulait. On s'est bâti une maison, et un an plus tard... tadam !, on a décidé qu'on voulait un bébé. J'avais 22 ans ; lui 27. Pour nous, c'était le bon temps. Je travaillais depuis longtemps et je n'avais pas le sentiment que le fait d'avoir un enfant brimerait ma carrière ou ma liberté. J'étais indépendante, je n'avais pas l'esprit de sacrifice très développé, mais je voulais être maman. J'ai toujours aimé les enfants, et il était clair dans mon esprit, dès la préadolescence, que j'en aurais. Le moment était arrivé.

Gabriel est né le 17 décembre 2000. Ma mère, ma belle-mère et Francis ont été très présents, ce qui m'a facilité les choses au cours des premiers mois. Par ailleurs, n'étant pas d'un tempérament possessif, j'étais heureuse que Gabriel reçoive autant d'amour et d'attention de toutes parts. Et lui ne s'en plaignait pas non plus.

Je suis restée à la maison à temps plein pendant dix mois avant que ne naisse un sentiment d'inconfort, un besoin de bouger autrement, de parler à des adultes, de m'habiller en *madame* et d'aller travailler. Je commençais à me sentir étouffée. Mon conjoint travaillait plus et plus longtemps, ce qui faisait de moi une femme au foyer, et de lui un pourvoyeur en quelque sorte, le chef de famille qui rapportait son salaire à la maison et qui, évidemment, méritait bien une petite bière avec les copains après le boulot. Quant à moi, je parlais *gaga* et *gogo* toute la journée, et l'inégalité de nos situations respectives m'indisposait. Je détestais me sentir comme la petite femme qui attend son gentil mari avec le bébé dans les bras et le souper sur la table à la fin de la journée. Ah ! non ! Ça ne me ressemblait pas. J'abhorrais cette situation.

Je me suis donc assise avec Francis, un soir, et je lui ai fait part de mon intention de retourner sur le marché du travail.

« Gabriel n'a que dix mois, Carole-Anne. On ne peut pas attendre un peu ?

– Moi, je n'ai que 23 ans, Francis, et je me sens vieille et reléguée à un rôle de second plan.

– Un rôle de second plan ? Ben voyons, Carole-Anne, tu élèves ton fils ! C'est le rôle le plus important que puissent jouer des parents !

– C'est facile à dire, pour toi. Tu pars toute la journée, tu vois des adultes, tu vas prendre une bière avec tes copains régulièrement, tu interagis avec le monde environnant et tu te changes les idées. Moi, je suis enfermée ici à cœur de jour, et mes seules sorties sont des marches autour du pâté de maisons ou du lèche-vitrine dans les centres commerciaux. Je veux voir du monde, en faire partie, me réintégrer, m'impliquer et, pour te dire franchement, j'ai besoin de mon indépendance financière. Je hais dépendre de toi et de ta paye.

– Mais ma paye, c'est la tienne et celle de la famille. Je te la donne, et c'est toi qui la gères. C'est comme ça qu'on s'était entendus avant la naissance de Gabriel, non?

– Oui, je sais. Je ne dis pas que tu m'empêches de vivre ou que tu me reproches de dépenser inutilement. Ce n'est pas ça, le hic. C'est *comment je me sens*. J'ai besoin de m'épanouir et de m'enrichir autrement.

– Tu veux travailler à temps plein?

– Je ne sais pas. Je vais offrir mes services à des endroits qui me semblent intéressants, puis on verra.

– Tu veux ça vite, vite? Parce qu'il va falloir trouver une garderie, réorganiser nos horaires et tout le tralala.

– Pour la garderie, c'est déjà fait. J'ai téléphoné à une femme qui m'a été référée par Laurie. Elle a une garderie en milieu familial, et une place s'est libérée la semaine dernière parce qu'une mère a décidé de quitter son emploi pour rester à la maison pendant un an, au moins. Tu vois? Il n'y a pas de hasard!

– Donc, ta décision était déjà arrêtée. Tu m'en as parlé pour ne pas me mettre devant des faits accomplis, mais tu l'aurais fait, de toute façon.

– C'est sûr que je l'aurais fait, Francis. Si tu n'avais pas été d'accord, j'aurais sûrement reporté ma décision, mais j'aurais été frustrée et je t'en aurais voulu de ne pas comprendre. Notre relation aurait encaissé les contrecoups, j'aurais été moins patiente avec Gabriel, je m'en serais voulu pour ça, j'aurais été frustrée davantage et... l'escalade aurait continué jusqu'à ce que je n'en puisse plus et que je revienne à la case départ, avec ou sans ton consentement.

– Bon... je ne m'attendais pas à ça, ce soir, mais si tu crois être plus heureuse en travaillant à l'extérieur, je suis d'accord. On va s'ajuster au fur et à mesure.

– Je suis contente que tu sois d'accord.

– Je ne suis pas certain d'avoir le choix, Carole-Anne. Je te soutiens et t'appuie dans ta décision parce que je t'aime. Pour en revenir à la femme qui s'occupera de Gabriel, tu as pris des références à son sujet ?

– Quand même, Francis ! Tu ne me crois tout de même pas assez nounoune pour confier Gabriel à n'importe qui !

– Je te le demande, c'est tout. Réflexe normal d'un père normal qui se préoccupe du bien-être de son fils.

– Et je t'adore pour ça ! Qu'est-ce que tu dirais si on demandait à ta mère de garder Gabriel, ce soir ? On pourrait l'amener chez elle, aller souper au restaurant, prendre un verre quelque part et revenir ici finir la soirée. Qu'est-ce que tu en penses ?

– Hummm !... Très bonne idée ! »

Et la conversation s'est terminée par un long baiser langoureux et une nuit torride. J'étais vraiment heureuse que Francis n'essaie pas de me dissuader. Ça m'aurait mise en boule, j'aurais senti qu'il voulait me contrôler et ça aurait fini en jeu de chiens (comme le disait ma mère).

Peu de temps après, je travaillais. Pour occuper le poste convoité, j'avais toutefois dû suivre un cours à Montréal, qui avait nécessité une absence d'une semaine pendant laquelle Francis n'avait pas eu d'autre choix que d'organiser son horaire en fonction du mien. L'apprentissage avait été difficile au point que j'ignorais si j'allais tenir le coup. Mais j'avais une tête de mule, et il n'était pas question que j'abandonne parce que je savais qu'une fois gravies ces premières marches, je courrais dans l'escalier sans m'essouffler. Et c'est exactement ce qui s'est produit. Je n'ai jamais laissé mes craintes ou mes appréhensions me bloquer la route. Les difficultés me stressent, oui, mais elles me stimulent en même temps. Elles m'obligent à me dépasser et à développer des forces que je ne me connaissais pas, et ça, j'aime. Ça rehausse mon estime personnelle.

Dès mon retour, mes patrons ont établi mon horaire de travail qui, malheureusement, se conciliait mal avec ma vie familiale. C'était un emploi de célibataire, que j'ai néanmoins refusé d'abandonner parce que je l'adorais littéralement. Je travaillais de nuit, je dormais le jour et j'avais congé une fin de semaine sur deux. J'étais embarquée dans un tourbillon qui m'apportait gratification et satisfaction, alors le mari et l'enfant se sont vite trouvés au deuxième rang de mes préoccupations. Pas que je ne les aimais pas, au contraire. Mon fils faisait ma joie et ma fierté, mais j'étais au premier siège. Eux juste derrière.

Je ne voyais pas ça d'un mauvais œil, et je ne me considérais pas comme une ingrate ou une égoïste. Dans la vie, on fait des choix et on les assume, un point c'est tout. Le petit détail qui m'échappait, c'est que je n'étais pas célibataire et que mes décisions influaient sur ma famille. Je contrôlais ma vie à ma façon et cependant, par ricochet, la leur.

Je suis loin d'être convaincue que j'aurais réagi aussi bien que Francis si les rôles avaient été inversés. Il était plus que patient et tolérant, et peu d'hommes auraient accepté cela, sans compter que le sexe était devenu le cadet de mes soucis. *Moi*, j'étais bien. Je menais une vie intéressante, et si ça ne plaisait pas aux autres, ils savaient ce qu'ils avaient à faire. Le choix était donc limité pour Francis qui, en dépit de tout, continuait à me soutenir et à m'appuyer. Contrairement à ce qu'on pourrait croire, il n'avait rien d'un paillasson sur lequel on s'essuie les pieds en entrant chez soi. Il était bien plus intelligent que ça. Bien plus équilibré que moi !

J'étais complètement inconsciente de ce que mon comportement exigeait de lui. Je l'obligeais à me suivre et à ramasser les miettes que je laissais tomber, sans me soucier de ce qu'il vivait. Je ne me posais pas de question sur la pertinence de mon rythme de vie, pas plus que sur l'impact qu'il avait sur Gabriel et Francis. Carole-Anne conduisait; les deux hommes suivaient.

De temps en temps se profilait devant mes yeux la silhouette d'une prise de conscience, que je faisais toutefois disparaître en un clin d'œil. Je roulais à cent milles à l'heure, et même mon ombre n'arrivait pas à me suivre. Cette course a duré... jusqu'au jour où Francis en a eu marre de se faire pelleter sur le côté en attendant que je veuille bien lui accorder quelques secondes de mon précieux temps.

« Trop, c'est comme pas assez, Carole-Anne. Il faut qu'on parle.

– Il me semblait aussi.

– Carole-Anne, ça ne va pas. Je ne me sens pas bien dans le style de vie qu'on mène. Ma femme me manque, et Gabriel s'ennuie de sa mère.

– Je suis là tous les jours.

– Voici les faits... Tu es là quand je suis au travail et que Gabriel est à la garderie. On soupe et on passe un bout de soirée ensemble, on raconte une histoire à Gabriel avant de le mettre au lit et, quand il dort, tu trouves mille excuses pour être ailleurs qu'à côté de moi. Tout à coup il me prendrait l'envie de t'embrasser et de te faire l'amour, hein, Carole-Anne ? Je ne sais pas ce que tu fuis, mais il va falloir que tu le trouves parce que je ne courrai pas derrière toi indéfiniment et je ne te regarderai plus te sauver comme ça pendant bien longtemps. Tu es une femme merveilleuse avec des qualités extraordinaires, mais tu t'entêtes, depuis quelques mois, à présenter le pire de toi. Qu'est-ce que tu cherches à faire ? Qu'est-ce que tu veux, exactement ?

– Bon, tu as fini ? Moi, je m'en vais. J'espère que ça t'a fait du bien d'en parler. »

Insignifiante !!! Il n'a rien dit. Il a seulement secoué la tête de gauche à droite. Et moi, je me suis sentie attaquée. « Va te faire voir ! (que je pensais en moi-même). Tu te prends pour qui ? Il n'y a pas un homme qui va venir me dire quoi faire ni me faire faire ce que je ne veux pas faire ! »

Enragée, je suis montée à ma chambre, je me suis habillée et je suis allée travailler. Je devenais une autre femme dès que je mettais les pieds dehors. En l'occurrence, j'étais beaucoup plus gentille avec mes collègues de travail qu'avec Francis. On avait du plaisir ensemble, on blaguait sur tous les sujets, et l'atmosphère demeurait agréable et détendue, même si notre travail présentait un haut niveau de stress. Avec le recul, on aurait pu m'appeler Dre Jeckill et Mme Hyde.

Au cours des mois suivants, je n'ai rien changé à mon attitude ou à mes habitudes. Francis était gentil, mais il n'essayait plus de m'approcher. Au début, ça m'a plu, car ça m'enlevait un poids des épaules. Je me sentais plus libre et moins menacée. Mais après, en revanche, ça a commencé à me déranger. Est-ce que j'avais perdu mon pouvoir de séduction sur lui ? Peut-être que je ne l'intéressais plus ? Peut-être qu'il avait une amante ? Peut-être qu'il allait prochainement m'annoncer qu'il voulait se séparer ? Qu'est-ce qu'il mijotait dans sa tête ? Et plus je me posais des questions, plus je devenais insécure et soupçonneuse. Mais je n'allais pas le lui dire et encore moins laisser transparaître ne serait-ce qu'une infinitésimale parcelle d'inquiétude. J'allais m'y prendre autrement. Et quand je voulais quelque chose (ou quelqu'un), je l'obtenais.

On regardait la télévision, un soir, et on parlait de la pluie et du beau temps (pourquoi aurait-il voulu entreprendre une conversation plus profonde avec un pan de mur ?). Il n'était pas indifférent. Juste distant. J'avais tout d'abord pensé utiliser mes armes fatales (un beau déshabillé vaporeux sous lequel j'aurais porté un soutien-gorge et des petites culottes transparentes), mais *zip !...* l'image a disparu. Non... ça manquait de subtilité. Mieux valait jouer la carte de la dame que celle de la putain (de l'expression *dame au salon ; putain au lit*). Je me suis levée en hypocrite, je suis allée à la cuisine où je nous ai versé une coupe de vin, et je me suis assise à ses côtés. Il n'a pas bronché, n'a pas eu l'air surpris. Il a pris sa coupe et l'a levée à ma santé.

« Santé, chéri ! (Ouache ! Trouve mieux !)

– Santé, Carole-Anne. »

Je ne savais pas quoi dire. Il regardait la télévision ; moi, je le regardais. Puis il s'est tourné vers moi.

« Tu veux quelque chose, Carole-Anne ?

– Euh... non. Oui ! Si on se glissait ensemble dans un bain chaud et qu'on allait ensuite se coucher ?

– Vas-y, toi. Je vais te rejoindre un peu plus tard. Je dois faire un peu de comptabilité, mais ça ne devrait pas être long. »

J'ai voulu l'embrasser sur la bouche, mais il a détourné légèrement la tête pour esquiver mon baiser qui a atterri sur sa joue. C'était si subtil que j'aurais presque pu croire que c'était involontaire. Je rageais en dedans ! « Pour qui tu te prends ? C'est ça que tu veux ? Tu vas l'avoir ! » J'étais hors de moi. Non, mais ! Il me rejetait ! Il repoussait mes avances ! Je n'en revenais pas. Le pire, c'est que je n'en étais pas encore au stade de prendre conscience que ça faisait des mois que je lui servais exactement le même plat avec, toutefois, beaucoup moins de tact et de diplomatie.

Comme je m'en attendais, il n'est pas venu se coucher avant que je ne sois endormie. Le lendemain matin, on a tous les deux fait comme si rien n'était. La vie a continué dans cette direction unilatérale, et la communication est demeurée non verbale. Par chance, Gabriel était là pour rompre le silence parfois trop lourd qui s'accentuait au même rythme que ma frustration et mon agressivité.

Il m'arrive encore de ne pas comprendre comment il se fait qu'on n'ait jamais parlé de séparation. En tout cas, pas avant que Gabriel n'ait atteint ses 4 ans. Il fallait tout de même s'y attendre, et *j'ai* décidé que je voulais me séparer. Peu de temps avant, j'avais eu une aventure avec un collègue de travail, et j'en avais informé Francis qui, encore une fois, avait su me pardonner. Par contre, quand il est arrivé un bon soir en m'avouant qu'il avait couché avec une fille, je l'ai engueulé comme du poisson pourri, j'ai fait mes valises, j'ai habillé Gabriel et je suis partie à l'hôtel. Peu de temps après, j'ai trouvé un appartement et j'y ai emménagé.

Ce soudain revirement de situation ne s'est toutefois pas fait sans heurts. Francis n'étant plus là pour veiller sur Gabriel lorsque j'étais au travail, j'ai dû réviser mes positions et envisager un changement d'emploi. Je ne pouvais pas croire qu'on en était rendus là après si peu d'années de mariage. Je me sentais dépassée par les événements, mais ça roulait encore trop vite, et je n'y voyais que du feu.

J'ai demandé à mes patrons deux semaines de congé afin de pouvoir réfléchir, la tête tranquille, à ce que j'allais faire dorénavant. Francis venait voir Gabriel tous les jours, et on avait convenu d'une garde partagée (une semaine chez moi, une semaine chez lui), lorsque je reprendrais le travail. Ce n'était pas l'idéal pour un enfant, mais on n'avait pas mieux à lui offrir. L'exemple qu'on lui avait donné, pendant plusieurs mois, n'avait rien de fantastique. On était ensemble, sans plus. Pour les marques de tendresse et d'affection, on pouvait repasser ! Gabriel n'en avait pas été privé, c'est sûr ! Par contre, il n'avait pas été sans ressentir les vibrations peu harmonieuses qui régnaient chez nous. Les enfants sont des éponges. Rien ne leur échappe. Nos émotions s'imprègnent en eux aussi sûrement que l'encre dans un buvard. Et lorsqu'ils grandissent (ou qu'ils sont devenus adultes), ils ignorent si ce qu'ils vivent appartient à eux ou à leurs parents. En y songeant bien, c'était peut-être aussi mon cas ?

J'ai réfléchi, et je suis allée voir mes patrons pour leur annoncer ma démission. Ça m'a fait mal au cœur, mais je n'avais pas d'autre solution. J'avais été suffisamment centrée sur moi-même depuis la naissance de Gabriel. Il était temps que je le prenne en considération dans mes décisions et que j'agisse moins égoïstement. J'ai donc cherché un autre emploi et, en moins de temps qu'il ne le faut pour le dire, j'étais engagée dans une firme d'avocats. Je n'avais aucune connaissance en droit, mais je possédais les qualités et les compétences requises pour bien m'acquitter des tâches liées à ce poste. Il me suffirait d'étudier un peu afin de parfaire mes connaissances dans ce domaine, et le tour serait joué. En attendant, j'avais une semaine devant moi pour m'y préparer.

Je ne sais pas pourquoi, mais je me sentais nerveuse à l'idée de débuter dans ce nouvel emploi. J'en avais pourtant vu bien d'autres avant ce jour, alors qu'est ce qui se passait ? Je manquais de patience, je me fâchais pour des peccadilles, et plus lundi approchait, pire c'était.

Samedi a été le jour M. Merdique du matin au soir. Ma nervosité déteignait sur Gabriel qui gigotait comme une anguille et qui déplaçait tout ce qu'il touchait. À 19 h 30, je n'en pouvais plus. Je lui ai fait prendre un bain, mais au lieu de s'asseoir lentement, il s'est donné un élan et s'est laissé tomber. L'eau a éclaboussé le plancher, le mur derrière moi, et moi, de la tête aux pieds. Je ne sais pas ce que ça a déclenché. J'ai vu rouge ! Je l'ai attrapé par le bras, je l'ai sorti du bain et je lui ai flanqué une de ces claques sur les fesses ! Il s'est mis à pleurer et à crier : « Maman, tu me fais bobo ! Pourquoi tu me tapes ? Ça fait mal ! » Il pleurait et pleurait. Et tout à coup, en voyant couler les larmes sur ses joues, ma rage s'est dissipée et s'est transformée en peine et en douleur. Une douleur si intense que j'avais l'impression de brûler de l'intérieur, de me consumer.

Je flippais ! « Seigneur ! Va te faire soigner ! C'est quoi ton problème ? Tu vas faire quoi la prochaine fois ? Le noyer ? Non, mais !!! C'est un enfant de 4 ans ! Allume ! »

Je l'ai pris dans mes bras et je me suis mise à pleurer comme je ne l'avais jamais fait auparavant.

« Pardon, mon bébé. Je te demande pardon. Ce n'est pas ta faute. Je m'excuse tellement ! Maman ne voulait pas te taper. Pardonne-moi, mon bébé !

– Pleure pas, maman. Pleure pas ! Regarde, je pleure plus. Ça fait plus mal. »

Ses joues étaient encore toutes mouillés des larmes qu'il continuait à verser. Je souffrais épouvantablement d'avoir frappé mon enfant, et je me haïssais tout autant.

Je l'ai séché, je l'ai amené au salon avec moi et je l'ai bercé au son d'une musique douce en lui racontant une histoire. Puis il s'est endormi dans mes bras. Je suis allée le coucher dans mon lit pour éviter qu'il ne se réveille seul, dans sa chambre, en pleurant. Et je suis retournée au salon. J'ai encore pleuré et pleuré jusqu'à ne plus tenir debout et je suis allée le rejoindre. J'avais tellement mal d'avoir fait ça. Frapper un enfant, c'est inconcevable. Je n'en revenais pas. J'avais perdu la carte. Perdu le contrôle.

J'ai passé une mauvaise nuit. Le lendemain matin, je nous ai fait un bon déjeuner, et on a regardé des dessins animés ensemble. Il ne semblait pas traumatisé; moi, oui. J'avais frappé mon bébé, et cette claque me martelait jusque dans l'âme. Je ne pouvais effacer son visage tout triste de mes pensées, et les larmes qui avaient coulé sur ses joues se répandaient dans mon cœur comme un poison pour lequel je n'avais, pour le moment, aucun antidote.

« Maman... est-ce que tu m'aimes?

– Mon petit chou, je t'adore. Je te demande encore pardon pour la tape que je t'ai donnée hier. Ça t'a fait mal, hein? (Je voulais qu'il s'exprime et ne garde rien en dedans.)

– Oui, mais j'ai eu plus mal quand je suis tombé avec ma bicyclette.

– Tu me pardonnes? Maman te promet de ne plus jamais faire ça. *Croix de bois, croix de fer, si je meurs, je vais en enfer.*

– (Il caresse ma joue.) Je t'aime, ma grosse Maman d'amour. (Rires)

– Quoi? Tu oses me dire que je suis grosse? Attends voir, mon petit chenapan! Je vais te chatouiller, moi! »

Il riait aux éclats. Ce jour-là, mon fils m'a appris ce qu'étaient l'amour inconditionnel et le pardon.

On était dimanche, et Gabriel allait passer la semaine chez son père. J'ai raconté à Francis ce qui était arrivé, et j'ai fondu en larmes.

« Ça arrive à tout le monde de perdre patience, Carole-Anne. La culpabilité ne changera rien au fait. Il faut seulement apprendre de ses erreurs et faire attention de ne pas recommencer. Tu n'as jamais levé la main sur lui en quatre ans. Ça veut probablement dire quelque chose, non ? Et quoi que ce soit, tu dois le régler. »

À midi, je me suis retrouvée seule avec mes pensées et... de soudaines démangeaisons ! Dieu que ça piquait tout d'un coup ! Et ce n'était pas du psoriasis. J'en faisais, en périodes de stress, au niveau du cuir chevelu, des coudes, des genoux et derrière les oreilles, mais là, c'était différent. C'était quoi cette *chose* ? Qu'importe, il fallait que ça arrête de piquer ! Je me suis donc rendue à la pharmacie pour acheter un médicament en vente libre destiné à calmer les démangeaisons. Après une heure, je me grattais moins, mais les petits boutons étaient toujours présents.

Les médicaments aidant, j'ai passé une bonne nuit, et je me suis levée vers 7 heures pour me préparer à affronter ma première journée de travail chez l'avocat. J'étais plaquée, ici et là, mais je m'étais vêtue en conséquence et, heureusement, ma figure n'était pas atteinte. Pas encore. Vers 10 heures, je ne me sentais pas bien. Je suis allée à la salle de bains pour me passer de l'eau froide sur la figure, mais en entrant, j'ai eu un haut-le-cœur et j'ai couru à la toilette où j'ai vomi à m'en faire sortir les tripes. Je n'allais vraiment, mais alors là, vraiment pas bien. J'étais étourdie, et j'avais des sueurs froides.

Je me suis assise par terre et j'ai pris de grandes respirations. Rien à faire, j'allais de plus en plus mal. Je me suis levée pour m'appuyer sur le comptoir, mais quand j'ai vu mon visage, mes deux jambes ont lâché. J'ai regardé mes bras, mon ventre, mes jambes... J'étais tapissée des pieds à la tête ! C'était affreux ! J'allais mal et je ne voulais pas sortir de là. Pas question que quelqu'un me voie dans cet état ! J'étais bien trop orgueilleuse pour appeler mon patron, et trop faible pour conduire ma voiture, alors j'ai sorti mon cellulaire de mon sac à main et j'ai composé le *911*. Vingt minutes plus tard, j'étais dans l'ambulance, en route vers l'hôpital.

Belle première journée de travail ! Prestation inoubliable ! J'imagine encore le visage de mon patron quand les ambulanciers sont arrivés en trombe avec la civière. « On a reçu un appel d'urgence de madame Carole-Anne X... » Il a dû me chercher deux fois plutôt qu'une avant de me découvrir dans les toilettes parce que le bureau est grand en s'il vous plaît !

Pendant le trajet, je flottais entre deux eaux. Les ambulanciers me posaient toutes sortes de questions que j'entendais à moitié. Tout ce que je voulais, c'était ma mère. « Appelez ma mère ! Je veux ma mère ! »

Arrivée à l'hôpital, on m'a parquée dans un corridor (pourquoi j'aurais eu un traitement de faveur ?) en attendant de passer au triage. J'avais dû marmonner le numéro de téléphone de ma mère aux ambulanciers parce que, au bout de quinze minutes, elle était là.

« Qu'est-ce qui s'est passé, Carole-Anne ?

– Je ne sais pas ce qui m'arrive, Maman. Ça n'allait pas bien depuis quelques jours, et...

– Bon, ne t'en fais pas, ma grande. Ça va aller. Un médecin va t'examiner, et on va en savoir plus. En attendant, reposetoi un peu. Je ne bouge pas d'ici. »

J'ai fermé les yeux et, c'est fou, mais j'avais l'impression que j'allais mourir. C'était comme si l'intérieur de mon corps bouillait, et j'étais certaine que si on m'avait ouverte, on aurait découvert des brûlures au second degré.

Après une heure d'attente, une infirmière a évalué mon état, et ce n'est que six heures plus tard que j'ai vu un médecin.

« Vous faites une crise d'urticaire, Madame.

– De l'urticaire ? Comment ça ?

– L'urticaire est un symptôme et non une maladie. Un stress important peut déclencher une crise aiguë comme celle que vous vivez présentement, et la prise de dépresseurs ou d'anti-dépresseurs peut s'avérer utile pour atténuer momentanément les effets et apporter un soulagement temporaire. Néanmoins, les médicaments n'ont aucun impact sur les causes de votre stress et, par conséquent, ne vous guériront pas. Votre corps vous parle, chère Madame, et s'il crie aussi fort, c'est sans doute qu'il l'a déjà fait avant et qu'il n'a pas été entendu. Vous devriez l'écouter, maintenant, car "tout ce qui ne s'exprime pas s'imprime dans le corps".

– Je ne sais pas ce qui a provoqué ça.

– Peut-être en avez-vous une petite idée ? Prenez quelques jours pour y réfléchir, et essayez de démêler tout ça. Ou alors, trouvez quelqu'un qui pourrait vous aider à le faire. En attendant, je vous prescris quelques pilules qui vous aideront à relaxer et à mieux dormir. Vous en avez pour sept jours. Suivez bien la posologie. Et donnez-vous un peu de temps pour vous refaire une santé émotionnelle avant de retourner travailler.

– Émotionnelle... ?

– C'est bien ce que j'ai dit. Je vous souhaite bonne chance, et j'espère ne jamais vous revoir ! (Rire) »

Je ne l'ai dit à personne, sinon récemment, mais quand j'étais dans le corridor de l'hôpital et que j'ai fermé les yeux, j'ai vu ma vie défiler devant moi. En fait, ce que j'ai vu, ce sont des flashs de gens à qui j'en voulais, d'événements marquants, de situations difficiles qui se succédaient à toute vitesse. Tout allait trop vite pour qu'il me soit possible d'identifier clairement quoi que ce soit, mais c'était comme si je venais de brasser un verre d'eau au fond duquel s'était déposée une épaisse couche de sable qui remontait maintenant à la surface. Et j'ai compris que si je voulais boire de cette eau, il me fallait la purifier en la faisant couler à travers un sas.

Ma mère avait appelé Francis et mon amie, Laurie. Francis m'a proposé de s'occuper de Gabriel pendant la semaine suivante, et Laurie m'a tendu les clés de son chalet.

« Tiens ! Tu trouves ça beau chez nous, alors paye-toi une traite ! Si tu préfères ne pas être seule, je peux t'accompagner. Ou amène ta mère. C'est comme tu veux. »

– J'aimerais mieux être seule, si ça ne t'ennuie pas.

– Pas du tout ! C'est toi le *boss*. Tu restes aussi longtemps que tu veux, et si tu as besoin de quelque chose, tu me siffles, O.K. ?

Je suis partie seule, mais avec un pincement au cœur. Le chalet n'était qu'à une centaine de kilomètres, mais j'avais le sentiment que quelque chose allait se produire. Rien de négatif. Quelque chose... je ne pouvais dire.

En arrivant, vers 19 heures, je suis allée me promener au bord de la rivière. L'eau, tout d'abord calme et claire, s'est brouillée dès que j'y ai posé les pieds. Et paf ! Un flash.

Je suis étendue sur mon lit, dans ma chambre, chez mes parents. Je suis en train de lire. J'ai 13 ans. Dans la cuisine, il y a mon père, ma mère, le frère de mon père et son amie. La porte de ma chambre s'ouvre. Mon oncle entre, et la ferme derrière lui. Il s'assoit sur mon lit et me parle gentiment. C'est mon oncle préféré ; je l'aime beaucoup. Il m'embrasse sur la bouche. Je n'aime pas ça. Il me touche. « Je ne te ferai pas mal, chut !... » J'ai peur. J'ai mal au cœur. Je crie « Maman !!! » Mon oncle sort aussitôt. Ma mère vient me voir. Je lui raconte ce qui s'est passé. Elle sort de ma chambre. Mon père entre à son tour. Je lui raconte. Il sourit bêtement. Je ne comprends pas...

Je suis retournée au chalet, j'ai pris une douche je me suis lavé la bouche et tout le corps comme si je voulais nettoyer cette saleté dont je m'étais sentie couverte depuis tant d'années. J'ai pleuré, mais pas beaucoup. J'avais besoin d'écrire. Et j'ai écrit à Robert une, deux, trois, quatre lettres dans lesquelles j'ai exprimé et évacué ressentiment, haine, colère, peur, agressivité et dégoût profond. J'ai écrit à m'en disloquer les phalanges. Et j'ai brûlé les lettres. Mais tout n'avait pas été dit. Je sentais qu'il fallait que la suivante lui soit acheminée. Je suis sortie prendre l'air puis je suis rentrée écrire ces lignes qui seraient les dernières du premier chapitre de ma libération.

« Mon oncle,

Il y a exactement quinze ans... un soir qui s'annonçait pourtant comme les autres a tourné au cauchemar et bouleversé ma vie.

Je n'avais que 13 ans, et tu as volé une partie de mon existence. Tu as pris ce que j'avais de plus secret, de plus intime, de plus précieux. Comment as-tu pu ressentir ce besoin si fort de m'embrasser et de me caresser ? Je n'avais que 13 ans, bordel ! J'étais vulnérable et terrifiée. Quand tu as quitté ma chambre pour aller rejoindre mes parents et ma tante dans la cuisine, je n'avais qu'une seule envie : vomir ! Je ne pouvais pas concevoir que toi, mon oncle que j'adorais, venait de m'abuser. J'étais complètement perdue, morte de peur. Tout allait trop vite. Je perdais le contrôle de mon âme.

À cette époque, je n'étais qu'une enfant, une enfant qui a cessé de vivre ce soir-là. Du coup, j'ai perdu mon sourire, ma joie de vivre, mon estime, mais surtout ma confiance. Dès cet instant, j'ai cessé de croire en qui que ce soit, y compris en moi.

Un beau soir de mai, mon oncle, je suis morte parce que toi, tu m'as tuée, à ta façon. Soudainement, subtilement, égoïstement. Tu as marqué ma vie de tes empreintes et de ton sceau sans te soucier des conséquences.

Depuis quinze ans, je me sens habitée par une rage qui me possède et me gruge de l'intérieur. Le pire, c'est qu'elle n'a cessé de s'intensifier avec les années et qu'elle a semé en moi le mal de vivre et une peur inexplicable d'aimer et d'être aimée. Aussi longtemps que j'ai pu, j'ai repoussé toute forme d'amour en me cachant derrière le masque de la petite fille rebelle et désinvolte que rien n'atteignait. C'était, pour moi, le seul moyen de ne pas souffrir et d'éviter d'être trahie.

Il y a quelques heures, cependant, une brèche s'est ouverte sur le passé et m'a permis de mieux saisir l'origine de mes peurs, de ma peine, de ma rage et de ma honte aussi. Je comprends mieux comment se sont construits et cimentés ces comportements que j'ai adoptés, et que j'ai haïs parce qu'ils me ressemblaient si peu.

Si j'entreprends cette démarche, c'est tout d'abord pour moi. Puis pour mon fils afin de ne pas lui transmettre cette rage (oui encore ce mot) qui m'a minée pendant toutes ces années. Je le fais aussi pour tous ces cœurs que j'ai blessés par ma froideur, ma violence et mes rejets, mais par-dessus tout parce que je veux tourner la page, panser mes blessures, me libérer et m'envoler.

Je souhaite sincèrement que tu prennes conscience de la gravité de tes gestes et de leur répercussion sur ma vie et sur celle des gens que j'aime.

Aujourd'hui et pour toujours,
je t'accorde mon pardon.
Je me libère et souris à ma nouvelle vie,
cette vie qui commence aujourd'hui.

Avec les années et beaucoup de travail sur moi-même, je me reconstruirai. C'est déjà commencé. Je veux être cette personne que je sais que je suis. Et je me ferai belle au-dedans pour reconnaître la beauté des autres et les accueillir en moi. Je sais maintenant que je peux aimer sincèrement et que je mérite de l'être. Que l'amour peut être beau et apaisant quand il est offert inconditionnellement et sincèrement. Que certaines personnes méritent ma confiance, et d'autres, pas. C'est à moi, désormais, que revient le droit de choisir et d'établir mes propres règles. »

Le lendemain matin, je quittais le chalet pour retourner chez moi. J'avais envie et besoin de voir Francis et mon fils, de les serrer dans mes bras et de leur dire combien je les aimais.

Francis, Gabriel et moi formons à nouveau une famille unie qui s'agrandira bientôt. Eh oui! On attend un autre enfant qui naîtra dans trois mois. Dieu que c'est beau, la Vie!

Quant à mon urticaire, il a persisté pendant quelque temps avant de se résorber, au fur et à mesure que j'ai vidé d'autres abcès. Le souvenir de cette soirée a fait remonter à la surface pas mal d'autres saletés que j'ai dû nettoyer. Mais c'est en ouvrant la porte pour jeter mes vidanges que le bonheur est entré et qu'il s'est installé chez nous pour y rester.

7

Je ne veux pas vieillir !

L'histoire de Fabienne

Je m'appelle Fabienne, j'ai 51 ans, je suis séparée et mère d'une belle grande fille de 20 ans.

Lorsque j'avais 15 ans, l'idée que je vieillirais un jour ne me traversait pas l'esprit. J'avais hâte d'être majeure et de prendre mon envol, comme tous les adolescents, mais les rides sur le visage des gens ne m'interpellaient pas. J'entrais à peine dans mon ère de séduction, alors le vieillissement ne faisait pas partie de mes préoccupations. Quelque vingt-huit ans plus tard, cependant...

Un beau matin, je sors du lit, je me rends à la salle de bains, j'ouvre le robinet d'eau froide pour me rafraîchir la figure et, en levant les yeux, je me vois dans le miroir, comme d'habitude. Mais là, c'est différent, et je sursaute : « Vieux ministre ! (c'est mon patois) » Je recule d'un pas, je me rapproche, je regarde, je ferme les yeux, je les ouvre (tout à coup j'aurais halluciné). « Mon Dieu ! C'est quoi ça ? » On aurait dit qu'un tracteur m'avait labouré le visage et que mes ridules de la veille étaient devenues de gigantesques ornières ! Je me remontais la peau avec les doigts, et quand je lâchais, ça faisait *plouch !* « Aaaahhhhh !!! »

Je ne me sentais pas bien, tout d'un coup. En tout cas, pas belle. J'avais 43 ans et, vlan !, le vieillissement venait de me tomber dessus en une nuit ! Ce n'était pas normal. Vieillir est un processus lent et progressif. Ça ne se fait *pas* en une nuit !

J'admets que des ridules siégeaient depuis longtemps au-dessus de ma lèvre supérieure et ça, c'était ma faute. J'avais commencé à fumer à 15 ans et arrêté à 40. Alors, ça laisse des traces. Sur ce point, *mea culpa*, c'était à moi d'y penser avant. Pour le reste, c'est certain qu'avec les années la peau perd de son élasticité, que des changements physiologiques se produisent et que les soucis, le stress, l'alimentation mal équilibrée, la sédentarité et le pessimisme, pour ne nommer que ceux-là, nous ravagent le système. Néanmoins, je ne comprenais pas comment il se faisait que j'avais l'impression d'avoir autant vieilli d'un seul coup.

J'en prenais pour mon rhume ! À tout bout de champ, j'allais me voir dans le miroir. Je me remontais la peau et la lâchais. Une fois, dix fois, vingt fois ! (peut-être qu'elle finirait par rester en place, qui sait ?) À 11 heures, j'en avais assez. J'ai téléphoné à mon amie Sophie et lui ai demandé si elle avait envie de dîner au restaurant.

« Oui, pourquoi pas ? Je n'ai pas de clients avant 14 heures (elle est thérapeute en médecines douces), alors ça nous laissera du temps pour jaser. Tu vas bien, toi ?

– Pas mal.

– Fabienne, je te connais depuis trente ans. Qu'est-ce qui ne va pas ?

– On en parlera tantôt. »

À 11 h 30, j'étais assise au restaurant. En attendant Sophie, je regardais passer les filles et les femmes. Toutes celles en bas de 70 ans me semblaient plus jeunes que moi. J'observais leur visage, la disposition et la profondeur de leurs rides, l'effet produit par telle ou telle expression. Étaient-elles fumeuses ou pas ? Semblaient-elles heureuses ou malheureuses ? Calmes ou préoccupées ? Ternes ou lumineuses ? Quel âge pouvait bien avoir celle-ci et celle-là ? Est-ce qu'un homme les accompagnait ? Je les fixais toutes, chacune leur tour, jusqu'à ce que le regard de l'une d'elles me remette à ma place. J'ai détourné la tête et j'ai vu entrer Sophie. Je lui ai fait un signe de la main, elle est venue me rejoindre, on s'est donné une bise et on s'est assises.

« Tu es là depuis longtemps ?

– Quinze minutes. J'observais les femmes.

– Les femmes ? Depuis quand tu observes les femmes ?

– Depuis quinze minutes.

– Tu veux changer d'orientation sexuelle ? (Rire)

– Non...

– Alors, pourquoi tu regardes les femmes ?

– Je regarde leurs rides.

– Leurs rides ?

– Oui, leurs rides !

– Explique-moi ça...

– Ce matin, en me regardant dans le miroir... »

Et je lui ai raconté tout ce qui s'était passé, ma prise de conscience traumatisante, le malaise ressenti et mon mal-être, depuis. Elle m'a souri.

« Fabienne, je ne vois pas où sont, sur ton visage, les ornières dont tu me parles.

– Regarde ! (Je m'étire le visage vers le haut.)

– J'ai aussi des rides (elle s'étire le visage à son tour), et les mêmes qu'hier. Peut-être même une ou deux de plus. C'est *plate*, mais on vieillit, qu'est-ce que tu veux ?

– Tu as quel âge ?

– 42.

– C'est ça ! Attends l'année prochaine !

– Quand même ! Ce n'est pas un an de plus qui va faire une si grande différence. Es-tu en préménopause, toi ?

– Ah, *come on !*

– Quoi, ça se peut ! Ma cousine était ménopausée à 42 ans. Les changements hormonaux provoquent toutes sortes de réactions bizarres : tristesse et déprime soudaines sans raison apparente, dépréciation de soi, perception déformée de son corps, insécurité, etc. Pourquoi tu n'irais pas passer des tests sanguins ? Tu serais fixée.

– Je vais y penser. Tu sais quoi ? Je me rends compte que pendant que ma fille essaie de s'adapter aux fluctuations de son corps qui se forme, moi je dois m'acclimater à celles du mien qui se déforme.

– Tu pousses le bouchon un peu loin. Quoique la comparaison entre la préadolescence et la préménopause est assez juste. Ce sont deux étapes marquées par des changements hormonaux importants qui occasionnent des bouleversements sur les plans physique, émotionnel, psychologique et, par conséquent, sur la perception de soi.

– Je ne peux tout simplement pas croire que je suis en train de devenir rabougrie, ratatinée et sans attrait. Qui voudra de moi, maintenant ?

– Tu as de ces façons de voir les choses !

– C'est comme ça que je les ressens.

– Écoute, ma cocotte, tu as toujours été une belle femme, alors ce ne sont pas quelques rides qui vont t'enlaidir. Et comme tu le dis toi-même : "Ce qui fait la beauté de quelqu'un, ça n'a rien de physique." On est beau quand on est heureux, qu'on a confiance en soi et qu'on est bien dans sa peau. La beauté... laisse-moi te poétiser quelque chose... La beauté, c'est le sourire de l'âme qui se réfléchit au-dehors.

– Wow...

– Attends, je n'ai pas fini. La beauté, c'est le rire du cœur qui se réjouit que la beauté de l'âme se réfléchisse au-dehors. Ce n'est pas de la grande poésie, ça ? (Rire)

– On rit bien, mais je me sens moche.

– Je sais... »

L'été de mes 43 ans a été frustrant et pénible. Idem pour les années qui ont suivi. Vue de l'extérieur, mon existence ressemblait à ce qu'elle avait toujours été (je n'ai pas arrêté de vivre parce que je vieillissais). Intérieurement, en revanche, ce n'était plus pareil. Je sentais la lourdeur des années peser sur moi, et je détestais chaque ride qui s'ajoutait et qui volait à mon visage l'éclat de sa jeunesse. Chacune d'elles représentait une effraction, une agression, une intrusion dans mon univers physique et dans mon intimité. Bizarrement, le vieillissement m'apparaissait comme un viol parce qu'il m'obligeait à me soumettre à sa volonté et qu'étant plus fort que moi, je ne pouvais le combattre, lutter ou me défendre. Et son plus grand avantage était, ironiquement, sa non-physicalité.

Ayant été une femme d'action, sûre d'elle (je ne l'étais souvent qu'en apparence), déterminée, fonceuse, positive et pourvue d'un grand sens de l'humour, j'avais toujours vaincu mes adversaires par une méticuleuse observation et par ma capacité à prévoir leurs intentions. Ma vie avait été loin d'être un conte de fée, mais jamais je n'avais utilisé ce prétexte pour m'écraser, me plaindre de mon sort ou accuser les autres de quoi que ce soit. Chaque expérience désagréable m'avait servi de *punching bag* pour développer ma force et ma combativité. J'avais toujours été une battante. Une gagnante. Aujourd'hui, cependant, je me trouvais confrontée à un ennemi invincible que je savais ne pouvoir vaincre, quelles que soient les ruses ou les méthodes envisagées. Et cela me terrifiait. Sa non-physicalité me le rendait-elle puissant au point de me désarmer complètement ? Et cette peur viscérale de vieillir ne m'incitait-elle pas à en faire un bourreau et moi, sa victime ?

Allons donc ! Cette perspective était irrecevable, car j'ai toujours considéré que quelqu'un qui se prend pour une victime agit comme telle et porte une étiquette plus grosse que sa tête, qui attire comme un aimant tous les bourreaux qui passent par là. C'est une logique incontestable. Toute victime se cherche inconsciemment un persécuteur parce qu'elle a besoin de motifs pour se plaindre et attirer l'attention sur elle. Et ça, ce n'était pas moi. Pendant mon enfance et mon adolescence, j'avais expérimenté les facettes du personnage et quand j'avais compris que c'était un perdant, je l'avais abandonné sans regret. Mais là, maintenant, qu'est-ce qui me déstabilisait autant?

Un soir, Sophie était à la maison, et on se préparait pour aller voir un spectacle de la troupe *Danse encore*, à Trois-Rivières. Je ne sais pas d'où m'est venue cette idée stupide de me pencher au-dessus d'un miroir pendant que je me maquillais...

« Sophie ! Au secours ! (Elle pensait que je venais de tomber.)

– Quoi ? Quoi ?

– J'ai le syndrome du saint-bernard !

Elle arrive en courant et me voit penchée au-dessus du miroir.

– Quoi ???

– Regarde, j'ai le syndrome du saint-bernard !

– C'est quoi, ça ?

– Regarde, j'ai les bajoues qui pendouillent. Il me manque juste un petit peu de bave sur le bord de la bouche, et c'est pareil. Ah ! C'est écœurant !

– Franchement, Fabienne, tu le fais exprès ? Tu te penches au-dessus d'un miroir *grossissant* ! C'est quoi l'idée ?

– Tiens, essaie !

– Pas question ! Je ne suis pas masochiste quand même ! »

Je l'avais, l'image de moi ! Et je l'ai entretenue pendant plusieurs mois. J'étais fâchée de ne plus pouvoir contrôler mon corps comme je l'avais toujours fait (ou comme j'avais imaginé que je le faisais) et presque désespérée de ne pouvoir mettre un terme à cette dégénérescence physique qui m'affligeait chaque jour davantage.

Aux mois qui se succédaient se sont ajoutées des années au cours desquelles j'ai continué à errer entre la tristesse de vieillir et un sentiment voilé de réconfort apporté par l'expérience des années.

En dépit d'une vie relativement équilibrée, je ne pouvais nier que je me transformais (ou me déformais, selon moi) et que je ne serais plus jamais aussi... (voilà, je mettais le doigt dessus !) attrayante que par le passé. J'avais toujours accordé une grande importance à mon apparence (sans jamais, pour autant, en être satisfaite) et misé gros sur elle parce que, très jeune, on m'avait enseigné que pour être aimée et attirer tendresse, affection et attention, il me fallait d'abord attirer les regards et séduire. Et la séduction, selon ma compréhension des faits et des événements du moment, passait indubitablement par le corps.

Ça m'a pris longtemps avant de parvenir à me dégager des conceptions erronées qu'on m'avait inculquées et de comprendre que la beauté n'est pas un fait du corps, mais une qualité de l'âme et que, par conséquent, elle ne peut résider dans ce vêtement temporaire enfilé pour un temps déterminé sur terre.

Un soir, j'étais en compagnie de mon ami Michaël, et on discutait justement de tout ça.

« Toi, Michaël, est-ce que tu vois le corps et l'âme comme deux entités distinctes ?

– Moi, je pense qu'on forme un tout. Sans l'âme, pas de corps. Sans le corps, l'âme ne peut pas s'accomplir dans l'expérience terrestre. Voilà pourquoi, à mon avis, il faut porter une attention particulière aux deux, tout en se rappelant que le corps est mortel et que l'âme est éternelle.

– Et ?...

– Ce que je veux dire, c'est que, oui, on doit prendre soin de son corps parce que c'est l'outil qui nous permet de nous construire et de nous exprimer sur le plan physique, mais il faut rester prudent pour ne pas lui accorder toute la place, car si on relègue l'âme au second rang, on inverse les rôles et on tombe de haut quand on atteint 40 ou 50 ans et qu'on s'aperçoit que le corps ne peut pas conserver son éternelle jeunesse, et ce, en dépit de tous les progrès de la science moderne. La grande *boss*, c'est l'âme. *Elle* survit. Pas le corps. Alors, il faut bien qu'il se détériore pour permettre à l'âme de se libérer et de revenir éventuellement dans un autre corps pour s'accomplir, par le biais d'expériences nouvelles.

– C'est comme la main et le gant.

– Tu veux dire ?...

– Bien, vois-tu, comme tu le sais déjà, je suis – depuis pas mal de temps – en guerre contre mon corps et mon impuissance à le garder jeune.

– Oui, j'ai remarqué. Mais c'est ça, la vie, Fabienne. On y passe tous, tôt ou tard. C'est équitable. Chacun a ses heures de gloire (jeunesse) et, un jour, on doit laisser la place à d'autres qui feront éventuellement la même chose.

– Je sais tout ça. En théorie, c'est facile à dire, mais en pratique, ce n'est pas aussi facile à vivre, admets-le.

– C'est vrai, tout autant pour les hommes que pour les femmes.

– Là, je ne suis pas d'accord, Michaël. Pense seulement à nos formes respectives. Les hommes n'en ont pratiquement pas à maintenir en place. Nous, les femmes, on en a plein, et on en prend pour notre rhume avec les années et les accouchements ! C'est dur, tu sais ! On passe notre vie à essayer de conserver nos rondeurs – quand on en a – là où elles devraient être, tout en essayant de rester les plus minces possible afin que vous, Messieurs, vous nous trouviez jolies. Parce qu'on ne va pas s'en cacher, vous vrillez sur vos chaises quand vous voyez une belle fille qui arbore du 36-24-36, et qui fait suer la moitié de la population mondiale féminine parce que *jamais* on n'arrivera à ça, même si on passe des semaines de quarante heures dans un studio de conditionnement physique !

– Tu exagères. Tous les hommes ne bavent pas devant les filles aux gros seins et au derrière rebondi.

– Hé ! c'est à moi que tu parles, Michaël. D'accord, on fait une mise en situation. Je me promène sur la rue en compagnie d'une fille grande, belle et taillée au couteau. Moi, je mesure 5 pieds et 2 pouces, et mes mensurations sont 32 A, 25, 33. Quand tu me regardes, seule, tu ne me trouves pas trop moche, mais si je passe devant toi en même temps que cette fille, oublie ça, tu ne me verras même pas !

– O.K., à mon tour de te mettre en situation. Un gars se promène sur la rue avec deux chiens : un très gros et un autre, tout petit. Lequel tu vas d'abord regarder ? Le *gros*. Pourquoi ? Justement parce qu'il est *gros*, donc plus visible que l'autre. Mais s'il a attiré ton attention en premier, ça ne veut pas dire que tu le trouves plus beau, qu'il t'intéresse davantage et que tu en veux un chez toi. Ça signifie simplement qu'il était plus apparent.

Ne mets pas tous les hommes dans le même panier, Fabienne. Des tas de gars aiment les petites femmes qui ont de petits seins et qui ne sont pas nécessairement taillées au couteau. C'est un mythe entretenu par certaines femmes qui veulent se déresponsabiliser et faire porter aux hommes l'odieux de la situation parce qu'elles choisissent de se rendre malades à essayer de maigrir ou qu'elles souhaitent se faire refaire de la tête aux pieds parce qu'elles ne s'aiment pas. Si elles agissent de la sorte, c'est pour elles, et pour elles seulement. Pour rehausser leur estime d'elles-mêmes parce qu'elles en manquent. La séduction a le dos large, mais il faut savoir jusqu'où on peut aller trop loin.

– Je suis bien obligée de l'admettre : tu as raison.

– Tu sais, si les hommes sont si épouvantables que ça, pourquoi gaspiller temps, énergie et argent dans toutes sortes d'artifices inutiles pour attirer leur attention ? Ces femmes seraient mieux d'apprendre à s'aimer et à se trouver belles plutôt que d'essayer de trouver leur valeur dans le regard des autres. De cette manière, elles abandonneraient probablement l'idée de ressembler aux mannequins des magazines qui sont toutes retouchées à l'ordinateur et qui ne représentent d'aucune façon la réalité. Quand on y regarde de plus près, ce qui les dérange, ce n'est pas de vieillir, mais de perdre leur pouvoir de séduction.

– Dis-moi pourquoi je me sens visée...

– En ce qui me concerne, je trouve que toutes les femmes sont belles. Ce qui est triste, c'est que peu d'entre elles le croient. Au lieu de passer leur vie à se comparer aux autres, à essayer de ressembler à quelqu'un qui n'est pas elles et à se faire charcuter au nom d'une beauté illusoire qui, de toute façon, ne durera pas, elles devraient apprendre à s'aimer telles qu'elles sont, vivre, avoir du plaisir et arrêter de s'en faire avec leur apparence ! De toute façon, l'amour, c'est une question de chimie. Pas d'épiderme.

– Toi, tu devrais donner des conférences.

– Merci ! Très peu pour moi ! Pour en revenir à nos moutons, c'était quoi ton histoire du gant et de la main ?

– Bien, vois-tu, le corps est comparable à un gant, et l'âme, à une main. Quand le gant est usé et qu'il devient inutilisable, on le jette et on le remplace. Ça n'altère pas la main à travers laquelle la Vie continue à circuler. Cette manière de voir les choses m'a aidée à mieux comprendre le vieillissement, car, comme c'est le cas pour le gant, mon corps vieillit, et il faudra un jour que mon âme le quitte. C'est sûr que je n'approuve pas le processus qui me mène à la mort, mais comme je ne pourrai ni l'arrêter ni intenter un procès à Dieu pour abus de pouvoir, il vaut mieux que je change d'attitude parce que je vais être malheureuse longtemps si je vis jusqu'à 85 ou 90 ans ! Je serai donc bien avisée de me réaliser dans ce que j'aime et d'accomplir ce que je n'ai pas accompli jusque-là. Cela étant dit, je suis encore au stade où j'estime que le vieillissement est une injure et une insulte à la dignité humaine. C'est mon point de vue. »

Notre conversation a duré des heures et elle m'a fait du bien. Toutefois, certaines résistances sont tenaces, et c'était plus facile d'intellectualiser mes grandes idées que de les concrétiser.

Depuis des années, j'utilisais des crèmes rajeunissantes, raffermissantes et antirides. Elles me satisfaisaient, dans une certaine mesure, mais il y avait des limites à ce qu'elles pouvaient accomplir. Et moi, je voulais plus. C'est alors qu'une idée s'est mise à me trotter dans la tête : s'il était impossible de contrôler le vieillissement, il était possible, en revanche, de le rendre moins apparent. Et il existait des moyens pour ça...

J'ai donc pris rendez-vous avec un professionnel reconnu et considéré comme un artiste de la chirurgie esthétique. Il m'a expliqué, de A à Z, sans ménagement, ce que représentait la chirurgie et quels en étaient les avantages et inconvénients potentiels. Je voulais un lifting des paupières, du visage et du cou, que je considérais moins risqué que les injections de Botox ou de n'importe quels autres produits dits sécuritaires (qui agissent différemment, il va sans dire), dont on ignore totalement les effets à long terme. Les injections, pas question pour moi ! Je sens qu'un jour les gens vont regretter d'y avoir eu recours. Enfin…

Alors, bonjour lifting; bienvenue bonheur ! Il me restait maintenant à trouver l'argent et le temps nécessaires. Pour l'argent, j'ai rencontré la directrice de ma banque qui m'a assurée que le prêt pourrait m'être consenti sans problème. Pour ce qui était du temps, j'avais besoin d'un congé de six semaines, et je n'avais que deux semaines de vacances par année. Je devais donc ajouter quatre semaines aux frais déjà prévus. Qu'à cela ne tienne, j'étais prête à n'importe quoi ! J'ai donc téléphoné à mon chirurgien, et on a convenu que l'opération aurait lieu dans un mois. J'avais vraiment hâte ! Paraître dix ans plus jeune, ça me remontait déjà le moral ! Néanmoins, mon projet allait-il effectivement voir le jour ?

J'ai toujours cru que rien n'arrive pour rien dans la vie et qu'il faut être à l'écoute des signes qu'elle nous envoie. Ainsi, deux semaines après avoir pris ma décision, ma voiture se met à avoir des ratés. Je me rends au garage, et comme c'étaient de petites choses peu dispendieuses, je les ai vite fait réparer. Sept jours plus tard, je fais mon arrêt obligatoire à une intersection et *bang!*, une auto emboutit l'arrière de la mienne. Le conducteur, qui venait tout juste d'acheter une voiture de l'année, n'a jamais compris en quel honneur les freins avaient lâché. Heureusement, mes dommages étaient minimes, alors je pouvais continuer à utiliser mon auto. Plus qu'une semaine, et je serais étendue sur la table d'opération. Seuls Michaël et Sophie savaient.

Le jeudi matin, j'entre au bureau, je me prépare un café, et je m'installe à mon poste.

« Fabienne, vous pouvez venir me voir, s'il vous plaît ? (C'est mon patron.)

– Oui, bien sûr.

– Fabienne, j'irai droit au but. Lorsque les grands patrons sont venus, en décembre dernier, ils ont fait le tour de l'entreprise, se sont réunis et ont décidé d'abolir quatre postes : un en marketing, un en comptabilité et deux en soutien administratif. Le vôtre en fait partie.

– Quoi ? Vous voulez dire que je perds mon emploi ? Mais je suis ici depuis un an !

– Je sais, et je suis vraiment désolé. Ça n'a rien à voir avec nous, vous ou vos compétences. La décision vient d'en haut et prend effet à compter de lundi prochain. Je sais que c'est précipité, mais on vient de m'en aviser. Nous vous verserons, bien entendu, deux semaines de salaire, à la suite de quoi vous aurez droit à l'assurance-emploi. Je sais que ce n'est pas suffisant, mais j'ai les mains liées. Je ne peux rien faire. »

Et voilà comment je me suis retrouvée au chômage, du jour au lendemain. Plus de travail, un salaire amputé et des projets devant être mis sur la glace pour un temps indéterminé. Les banques ne prêtent pas aux chômeurs, alors, du coup, ma chirurgie venait de tomber à l'eau. J'étais tellement déçue ! Je la voyais comme une bénédiction dans ma vie.

J'ai déprimé et tourné en rond pendant trois mois, ne sachant plus quoi faire ni où aller. Qui, en effet, engage une femme de 50 ans ? Je n'aimais pas outre mesure mon emploi précédent, cependant il me permettait de vivre décemment. Qu'est-ce que j'allais bien pouvoir faire, maintenant?

Ne sachant trop vers quoi me tourner, j'ai sorti mes pinceaux et ma toile. Je n'y avais pas touché depuis... il y avait bien dix ans! Quand j'étais jeune, je souhaitais devenir peintre, mais on m'en avait vite dissuadée : « Les artistes crèvent de faim. Trouve mieux. Dirige-toi dans un domaine qui t'intéresse, fais-en une carrière, et peins dans tes temps libres. Tu pourras vendre tes toiles pour te faire de l'argent de poche. » Et j'avais adopté ça.

Trente-cinq ans plus tard, je me trouvais de nouveau face à ma toile blanche. Je passais des heures à la regarder sans que l'inspiration ne vienne. Et puis, j'ai commencé à vibrer. J'ai pris mon pinceau et j'ai tracé des lignes, des formes, des silhouettes auxquelles j'ai ajouté des couleurs. C'était merveilleux, je peignais! Je me sentais si bien que j'en oubliais de manger et de dormir. C'était fou! On aurait dit que tout ce que je n'avais pas peint pendant trente-cinq ans voulait d'un coup se dévoiler.

J'ai donc peint plusieurs tableaux. « Des œuvres d'art », me disait ma fille. Puis j'ai entendu parler d'un symposium de peinture qui se tiendrait bientôt dans la région. Je m'y suis inscrite et j'ai passé la fin de semaine là-bas à échanger avec des gens qui me ressemblaient et qui, comme moi, étaient des artistes. J'adorais ça! Je me sentais revivre. Et je ne pensais plus vraiment à mes rides. Bizarre...

« Pardon, Madame, combien vaut cette toile?

– 500 $.

– J'ai très envie de l'acheter. Elle irait parfaitement dans ma salle de traitement.

– Vous êtes thérapeute?

– Je suis massothérapeute et réflexologue. J'offre aussi des traitements de *myolift*.

– De *myolift*? Qu'est-ce que c'est?

– Écoutez... j'ai un rendez-vous dans une quinzaine de minutes, alors je dois vraiment partir. Accepteriez-vous de mettre ce tableau de côté pour moi ? Je vais l'acheter. Quand je reviendrai, dans deux heures environ, j'apporterai l'argent et je vous expliquerai ce qu'est le *myolift.* Qu'en pensez-vous ?

– Oui, bien sûr, pas de problème. Je vous le garde, et on se voit plus tard. »

Et c'est ainsi que j'ai fait la connaissance de Rachelle, qui m'a expliqué comment fonctionnait le *myolift.*

« C'est une découverte récente qui ne nécessite ni aiguille ni chirurgie et qui permet au corps de se remettre à produire le collagène essentiel pour régénérer la peau et lui conserver son air de jeunesse. Ce n'est pas miraculeux et ça n'arrête pas le vieillissement, mais les résultats sont facilement comparables à ceux des injections. Plusieurs personnes choisissent ce traitement parce qu'il ne requiert que deux rencontres, qu'il est plus qu'abordable et qu'il ne présente aucun risque. Si vous voulez, on essaie. Et si vous n'êtes pas satisfaite, je vous rembourse. »

Qu'est-ce que j'avais à perdre ? Rien du tout ! Et à mon grand étonnement, en deux traitements et des conseils, mon visage a retrouvé un air de jeunesse qui m'était presque devenu étranger, pour le centième du prix que m'aurait coûté un lifting.

C'est tout de même incroyable ! Tous ces contretemps se sont produits pour me ramener à moi-même et m'offrir de très beaux cadeaux. Eh oui... je suis retournée à mes pinceaux qui ont été mes premières amours – celles que je n'aurais jamais dû quitter – et c'est en respectant ma passion, en l'exprimant et en la partageant que j'ai rencontré Rachelle.

À présent, je souris. J'ai 51 ans, et jamais la vie n'a été aussi belle ! J'ai une fille extraordinaire – la plus merveilleuse de toutes –, un amoureux, dont j'ai fait la connaissance à la soirée de clôture du symposium, et un visage rajeuni, souriant, épanoui et lumineux que je ne changerais pour rien au monde. Par surcroît, je vis maintenant de mon art!

S'il est une leçon que j'ai finalement comprise, c'est que je peux certes contester le vieillissement, m'y opposer et le haïr, mais je n'en arrêterai pas le processus. La seule chose à faire, alors, c'est de changer d'attitude, de sourire à l'expérience au lieu de pleurer sur les années qui me l'ont offerte et de m'épanouir en utilisant le maximum de ce que je suis. Ainsi, j'additionnerai les années qui passent avec sérénité, en comprenant vraiment, de l'intérieur, qu'« on ne voit bien qu'avec le cœur et que l'essentiel est invisible pour les yeux ».

8

Maudit argent !

L'histoire de Hugh

Je m'appelle Hugh, j'ai 34 ans, et je suis célibataire.

Québécois pure laine, je porte ce prénom en souvenir d'une flamme de ma mère, un Anglais d'Angleterre rencontré lors d'un voyage à New York en 1967, deux ans avant qu'elle ne fasse la connaissance de mon père. Elle ne l'a jamais revu, mais elle s'était promis que si elle avait un fils, elle le prénommerait Hugh. Et plus tard, quand Hugh Grant est apparu à la télévision, elle a succombé à son charme et est demeurée l'une de ses plus ferventes admiratrices.

Je suis l'aîné d'une famille de quatre enfants, le seul mâle de la bergerie. Mon père aurait bien voulu plus de garçons que de filles, mais il semble que les chromosomes X l'aient emporté sur les désirs du paternel qui s'est toujours voué, corps et âme, à sa famille, ne ménageant pas ses heures de travail non plus que ses récriminations dès que survenait une dépense imprévue.

Mis à part cet aspect grognon, irritant et on ne peut plus insupportable de mon père, c'était un bon gars, au fond. Mais le fond était loin. Il ne souriait jamais, et le point chaud de toutes les conversations, quand j'étais enfant et adolescent, c'était l'argent. « Maudit argent ! On se crève le c… (c'était son expression favorite) pour en gagner, et il n'en reste jamais ! Tout ce que je fais, c'est travailler, travailler, travailler, et on est toujours devant rien ! »

Ma mère, contrairement à mon père qui voyait le verre à moitié vide, le voyait, elle, à moitié plein. Elle souriait presque tout le temps et ne s'inquiétait pas de l'avenir. « Si Dieu donne à manger aux oiseaux tous les jours, il en sera de même pour nous. » Mon père voyait les problèmes (souvent où il n'y en avait pas) ; elle voyait les solutions. Jamais elle n'embarquait dans ses complaintes. Elle gérait le budget de main de maître, et on ne manquait de rien.

« Bob, pourquoi tu ne te fais pas plaisir ? Va à la pêche ou en vacances dans le Sud pour une semaine, ou mieux encore, achète cette moto qui te fait tellement envie. On a un peu d'argent de côté, et tu peux très bien te payer une petite gâterie.

– Si je prends cet argent, ce sera ça de moins pour la famille.

– Bob... Ne joue pas les martyrs. Tu gagnes un très bon salaire, et on avait déjà fait des placements, chacun de notre côté, avant la naissance des enfants. On n'est pas à plaindre.

– On ne roule pas sur l'or non plus ! Combien ça coûte envoyer les enfants à l'université ?

– Cher !

– Tu vois ? Ce n'est pas moi qui le dit.

– C'que tu peux être de mauvaise foi quand tu t'y mets ! Tu pourrais te payer du bon temps, de temps en temps, mais tu ne *veux pas*. Alors, on ne va pas s'obstiner toute la soirée et s'éterniser sur un sujet qui ne mènera nulle part. Chaque fois qu'on parle d'argent, on tourne en rond. »

Ça, c'étaient les conversations presque quotidiennes de mes parents. Mon père ne voulait rien savoir, et ma mère essayait, chaque fois, de lui faire entendre raison. Mais c'était peine perdue. Le paternel aimait faire pitié et sacrer après l'argent.

Quand j'ai eu 18 ans, *zip !* sortie côté jardin ! Je suis parti de chez moi. J'adorais ma mère, et ça n'a pas changé. Quant à mon père, j'ai fini par développer une certaine aversion à son égard, pour ne pas dire une aversion certaine. Il me les cassait vraiment ! Je n'étais plus capable d'entendre parler de ses problèmes d'argent imaginaires, et de me faire sermonner chaque fois que je dépensais un sou de mon propre salaire, celui que je gagnais en travaillant les fins de semaine dans une station-service. Je m'étais bien promis – dès que j'ai eu 13 ans – que je partirais à 18 ans et que je ne reviendrais pas de sitôt. En tout cas, pas avant d'avoir gagné assez d'argent pour lui prouver que je valais beaucoup plus qu'il ne le croyait.

J'ai donc quitté la maison, choqué contre mon père et en bons termes avec ma mère à qui je téléphonais presque chaque jour. Elle était toujours d'aussi bonne humeur, comme si le caractère exécrable de mon père ne l'atteignait pas.

« Comment tu fais pour l'endurer, Maman ?

– Il a de très belles qualités, ton père, Hugh. Son seul problème, c'est de s'en faire avec l'argent. Mais on sait tous les deux que le vrai problème se situe au-delà des considérations financières. Le jour où il va admettre qu'il a droit au bonheur et qu'il mérite d'être heureux, ça va changer. En attendant, eh bien...

– Ben, en attendant, qu'il aille donc consulter au lieu d'emmerder tout le monde.

– Hugh ! ne juge pas ton père. Tu n'es pas dans ses souliers.

– Tu as raison. Je m'excuse. Il vaut mieux que je m'occupe de mes affaires.

– Comment vont les études ? Tu ne m'en parles pas beaucoup depuis quelque temps.

– Euh... j'ai lâché ça pour l'instant. J'attendais pour t'en parler, car j'ai une autre nouvelle à t'apprendre. Je pars sur un *nowhere*, avec David, la semaine prochaine.

– Un *nowhere* ? Pour combien de temps ?

– Aucune idée. On s'est ramassé un peu d'argent de poche, et on va travailler ici et là pour vivre, jusqu'à ce qu'on en ait assez. Puis on va revenir.

– Tu viens nous voir avant de partir, j'espère !

– C'est sûr ! Je ne partirai pas sans vous avoir embrassées, toi et les filles !

– Ton père s'ennuie de toi, lui aussi, tu sais.

– Moi, je ne m'ennuie pas de lui. Quand j'ai déménagé, tu te souviens de ce qu'il m'a dit ? : "Je te souhaite de pâtir puis d'avoir faim ! Tu vas voir que tu n'es pas plus intelligent que tout le monde. L'argent, ça ne se trouve pas sous les arbres. En tout cas, ne reviens pas tout penaud pour m'en demander quand ça ira mal !"

– Il était fâché, mais il avait surtout de la peine que tu partes. Il ne veut pas que tu aies des problèmes.

– Quelle intelligente façon de me le dire ! En tout cas... Je vais te voir samedi. Et je ne veux pas qu'on parle du paternel, O.K. ? »

Je suis parti au printemps. Et je suis revenu deux ans plus tard. On a surtout fait le tour des États-Unis et on s'est trouvé des *jobines* pour pouvoir se loger et se nourrir. C'était plaisant, et ça nous a permis de voir autre chose, d'élargir nos horizons et d'acquérir une certaine maturité. À se débrouiller comme ça, avec les moyens du bord, on finit par mûrir un peu. Et quand on dort sur un banc de parc, à l'autre bout du monde, on s'ennuie de son chez-soi, et on apprécie ce qu'on avait. C'est, en tout cas, ce qu'on se disait quand on était là-bas.

J'ai beaucoup pensé à mon père pendant ces deux ans. J'étais trop orgueilleux pour l'admettre, néanmoins il me manquait, et je savais que je lui manquais aussi, mais on n'arrivait pas à se parler. Avec maman, c'était facile. Elle avait acheté un ordinateur, alors on communiquait par courrier électronique (des cafés Internet, il y en a partout), et elle me donnait des nouvelles de la famille. À cause des frais d'interurbain, on se téléphonait rarement. Je savais qu'elle s'inquiétait un peu, mais, comme elle disait : « Je te fais confiance, et je t'entoure d'énergie divine. Rien de mal ne peut donc t'arriver. » Elle était catholique non pratiquante, mais très spirituelle. Elle disait toujours *Dieu*, en ajoutant cependant que je pouvais l'appeler comme bon me semblait, tant et aussi longtemps que je savais qu'une intelligence divine me guidait et m'éclairait si je lui prêtais l'oreille et que j'écoutais ses messages.

À mon retour, en plus d'avoir conservé son sale caractère, mon père avait pris un coup de vieux. Quand je l'ai vu, on s'est serré la main. Pas d'effusions de tendresse. Que du froid tiédi avec un frisson d'affection retenue qu'on n'allait sûrement pas démontrer. Mes sœurs étaient encore plus jolies qu'avant et, Dieu merci, elles paraissaient suivre davantage l'exemple de ma mère que celui de mon père. La petite dernière, en revanche, ruait dans les brancards. Elle était plus agressive que les autres, plus rebelle. Quoi de surprenant ! Vivre avec mon père, ce n'était pas de la petite gomme ! En fait, plus je la voyais agir et réagir, plus je trouvais qu'elle me ressemblait. J'espérais toutefois qu'elle allait tourner mieux que moi parce que j'avais 20 ans et pas d'avenir.

J'essayais de m'imaginer dans le cadre d'une profession qui me plairait et me permettrait de prendre ma place dans la société, mais rien ne m'allumait. Tout le monde avait une petite idée de ce qu'il voulait faire de sa vie ; pas moi. J'ai donc trouvé un boulot dans une station-service, encore une fois. Je gagnais le salaire minimum, et je détestais ça. J'imaginais mon père qui devait rire dans sa barbe en me voyant dériver comme une vieille bicoque qui a perdu le nord. Quelle satisfaction personnelle il devait éprouver maintenant en se disant qu'il ne s'était pas trompé. J'étais vraiment un bon à rien !

Puisque je me sentais de moins en moins à la hauteur de la situation, je n'ai pas eu besoin de mon père pour me dénigrer. J'ai très bien fait ça moi-même et, comme si ça ne suffisait pas, j'ai fini par engueuler mon patron au point qu'il m'a foutu à la porte. Alors, en moins de temps qu'il n'a fallu pour le dire, je me suis dépossédé d'un salaire hebdomadaire ainsi que du respect d'un homme qui ne méritait pas mon arrogance, et je me suis ôté toute possibilité de recevoir des prestations d'assurance-emploi, ce qui m'a mené directement à l'aide sociale. De mon point de vue, je n'étais pas responsable de ce qui m'arrivait et je n'allais certainement pas me trouver un autre emploi dans lequel je m'esquinterais quarante heures par semaine pour un salaire de crève-faim. Je méritais mieux que ça !

Foutaise, foutaise et encore foutaise ! Je me haïssais et ne me portais aucune estime parce que je ne me sentais pas à la hauteur de ce que la *partie intelligente* de Moi savait que je pouvais faire. J'étais à côté de mes pompes quatre-vingt-dix-neuf pour cent du temps et je gueulais à qui voulait l'entendre que je faisais mon possible, que je n'avais pas de chance et que je méritais mieux que ça ! En réalité, je ne récoltais que ce que je croyais mériter et puisque, inconsciemment, je me considérais comme un raté, je bousillais ma vie sans, en revanche, vouloir en porter le blâme. Non, non ! Le fautif, c'était mon père. C'était lui, le méchant qui m'avait montré ce chemin, par l'exemple. C'était lui qui me traitait de sans-allure. C'était lui qui me regardait de haut. C'était lui, lui et toujours lui. Jamais moi. « Maudit argent ! » Voilà où j'en étais rendu dans ma vie et quel sujet meublait constamment mes pensées et mes conversations.

J'ai végété pendant trois ans au cours desquels je n'ai rien fait de ma peau. Je téléphonais à ma mère, mais je ne la voyais presque plus. Ce qui la peinait, ce n'était pas que je dérivais, car elle disait toujours que lorsqu'un arbre a été planté droit, il peut, en grandissant, se tordre et crochir, mais il redevient toujours droit. Non, ce qui la chagrinait, c'est que je mentais, je *me* mentais, et je retardais l'évolution positive des choses en me mettant moi-même des bâtons dans les roues. Mentir...

Une fois – j'avais 11 ans –, l'idée m'est venue de tirer ma sœur en bas de la galerie. Je pensais que ça pourrait être drôle. En entendant ses cris, ma mère s'est précipitée dehors, mais j'avais déjà pris mes jambes à mon coup et j'étais loin quand elle l'a ramassée, ensanglantée, dans la gravelle. Ma sœur a eu beau clamer que c'était moi, mais j'ai toujours nié ma responsabilité, croyant qu'avouer aurait été me pendre avec ma corde et donner à ma mère l'occasion de me punir. Cette fois-là, maman était vraiment fâchée. Cependant, parce que je n'avais pas voulu admettre mes torts, elle ne m'avait pas puni. Elle m'avait appelé au salon et m'avait enseigné un précepte que je n'ai jamais oublié.

« Hugh, je ne peux pas te punir pour un geste que je ne t'ai pas vu poser, même si je sais que tu es responsable. Tu dois savoir une chose, par contre : dans la vie, on ne ment jamais qu'à soi-même. Tu peux nier avoir poussé ta sœur en bas de la galerie, mais toi, tu sais que tu l'as fait, et tout ce que tu peux me dire n'y changera rien. Ça se passe entre toi et ta conscience, et une bonne conscience fait toujours son boulot, crois-moi. Tu pourras nier ce geste, anodin selon toi, toute ta vie. Mais toute ta vie, tu sauras que tu as menti. Tu sais, Hugh, chaque parole qu'on prononce, chaque geste qu'on pose, chaque action... tout est comptabilisé dans notre cœur, dans notre âme et notre conscience. Et si on peut échapper aux autres en utilisant stratagèmes et mensonges, on n'échappe jamais à soi-même. Tu dois savoir ça maintenant et assumer la responsabilité de ce que tu fais, sans oublier que tes pensées, tes paroles et tes actions ont des répercussions et des conséquences immédiates ou futures sur ta vie et, bien souvent, sur celle des autres. Le mensonge est un manque de respect envers soi-même. La question à te poser maintenant est : "Pourquoi est-ce que je me manque de respect?" Médite là-dessus, et vois si tu as quelque chose à dire à ta sœur. »

Je n'ai pas saisi tous les détails du message sur le moment, mais ce n'était pas nécessaire parce que l'essentiel m'avait touché droit au cœur. Ma mère avait de ces façons de nous parler pour nous faire sentir... exactement dans le même sens qu'on agissait. Quand on faisait quelque chose de bien, son regard, ses sourires et ses câlins étaient imprégnés de notre gentillesse, et un peu plus on se serait pris pour des héros. Lorsqu'on agissait mal, en revanche, pas de sourires, et un regard qui en disait long et qui ne nous aurait sûrement pas incités à croire qu'on était des héros. Mais quoi qu'on ait fait, on avait toujours droit à ses bisous et à son pardon.

En parlant à ma mère, au téléphone, je me suis tout d'un coup senti *ben ordinaire.*

« Maman, j'aimerais ça te voir. Penses-tu qu'on pourrait prendre un peu de temps pour jaser, tous les deux, face à face ?

– C'est sûr, mon homme ! Tu veux venir à la maison ?

– J'aimerais mieux aller ailleurs.

– O.K., on peut se retrouver dans un restaurant, si tu préfères.

– Je n'ai pas d'argent.

– (Elle ricane) Je t'invite. »

J'ai donné à ma mère le nom d'un restaurant et j'ai essayé de trouver des vêtements convenables parmi le peu que j'avais achetés à la friperie. J'étais nerveux. Je me sentais comme un petit gars. Je jouais les durs depuis trois ans, mais c'était une image, un masque. À ce moment précis, toutefois, je me sentais aussi mollasse que du jello, car je savais que ma conversation avec elle allait être le début d'un changement de cap dans ma vie. Il était plus que temps que je me manie le popotin et que j'agisse parce que je ne pouvais même plus me voir en peinture ! J'étais rendu au bout du rouleau.

« Pour commencer, je m'excuse, M'man, d'avoir été aussi déplaisant avec toi et les autres depuis... pas mal de temps. Je ne suis pas très fier de moi. Le paternel n'a pas tort de me traiter de sans-... (elle ne me laisse pas finir ma phrase).

– Premièrement, Hugh, ce n'est pas à moi que tu dois des excuses – si excuses il y a à faire –, mais à toi. Deuxièmement, on ne va pas se lancer dans des *trips* d'apitoiement. Tu as fait ce que tu voulais de ta vie jusque-là, et j'imagine que tu as décidé de changer ton fusil d'épaule ? C'est là que tu en es ?

– Je ne sais plus où je m'en vais. Je me suis perdu quelque part, et je ne sais pas comment faire pour revenir où j'étais.

– Tu ne reviendras jamais où tu étais il y a trois ans parce que ce temps est derrière toi, et qu'il fait partie de ta vie, de tes

– Au contraire, tu as tout ce qu'il faut. Le principal ingrédient pour te rendre où tu veux, c'est la passion parce que la passion est l'essence de l'enthousiasme qui alimente la créativité qui, elle, te fournit l'élan nécessaire pour te fabriquer une vie à la mesure de tes rêves. En suivant tes rêves, tu ne te trompes jamais puisque tu te réalises quotidiennement dans ce qui t'enrichit, te valorise et t'épanouit. C'est toujours gagné d'avance !

– Il faut de l'argent pour réaliser ses rêves.

– Faux. Il faut de l'amour et de l'estime de soi, de la détermination et de la ténacité. L'argent n'a rien à voir là-dedans. Ne mêle pas les carottes et les patates.

– Si je veux être architecte, il faut tout de même que j'aie de l'argent pour payer mes cours.

– Commence par le début. Suis un cours subventionné par le gouvernement, qui se rapproche le plus de ton objectif : être architecte. Plusieurs programmes existent pour faciliter aux gens l'intégration sur le marché travail. Une fois ton cours terminé, trouve un emploi lié à ta passion, va à l'université en même temps – je sais que c'est difficile, mais des tas de gens le font – et décroche tes diplômes pour devenir architecte. Une fois outillé, plus rien ne t'arrêtera. Le monde t'appartiendra.

– C'est compliqué. Et qu'est-ce qui me dit que j'obtiendrai mes diplômes au bout de compte ?

– Ta foi en toi. Tu dois croire avant de voir. Tu sais, il y a longtemps, des gens ont décidé de construire un chemin de fer dans les Alpes, entre Vienne et Venise, avant même qu'il n'existe un train pour y grimper. Ils l'ont construit malgré tout parce qu'ils savaient que le train viendrait un jour. Construis-le ton chemin de fer, Hugh. Le train va suivre, c'est sûr ! Quand une idée s'allume dans ton esprit, c'est qu'elle est déjà en voie de réalisation. Saisis-la et donne-lui vie.

– Ça va être long en chien !

– Ce n'est rien à côté de ce qui t'attend si tu renonces à tes rêves. Que sont quatre, cinq ou six ans dans une vie ? Ça représente quoi ? Une demi-seconde d'une journée ? Tu viens tout juste d'avoir 24 ans, Hugh. Alors, quelques années de petits sacrifices, entrecoupées d'une multitude de petits bonheurs, pour t'assurer soixante-dix ans de grand bonheur, est-ce si terrible ? N'est-ce pas au contraire le plus judicieux de tous les investissements ? »

Et on a continué à parler, encore et encore. J'avais besoin d'entendre ma mère me dire que je réussirais et que je réaliserais mes rêves. Il suffit parfois d'une petite tape sur l'épaule pour nous projeter vers le meilleur de nous-mêmes. Et l'une des forces de ma mère a toujours été sa capacité à me faire voir ce qu'il y a de plus beau en moi. Elle seule peut faire ça.

J'ai donc réfléchi et décidé de mettre en pratique ses suggestions. J'ai suivi un cours en ébénisterie, pour commencer, puis j'ai trouvé du travail dans ce domaine. J'ai appris des tas de choses qui n'étaient pas au programme d'architecture à l'université et qui m'ont été d'une aide précieuse quand j'ai décidé de créer mon entreprise, une firme d'architectes, que je mène aujourd'hui de main de maître avec un copain. Par ailleurs, puisque l'ébénisterie a gagné mon cœur, j'ai décidé d'ajouter une corde à mon arc en fabriquant des meubles dans mes temps libres.

J'adore *tout* ce que je fais, et je me sens tellement bien ! Je réalise mes rêves et je suis payé pour le faire ! Maudit que je suis fier de moi, et heureux ! La bonne décision au bon moment... et ma vie s'est transformée.

Pendant ces années de travail et d'études entremêlés, j'ai souvent pensé à tout larguer, surtout quand je focalisais sur l'argent et que le vieux disque se remettait en marche : « Je n'ai jamais une cenne. Je ne peux jamais rien me payer. Plus je travaille, moins j'en ai. Foutu argent ! » Quand j'en arrivais à ce point, l'élément dissuasif le plus percutant était l'image du paternel qui se greffait à la mienne. Copie conforme ? Jamais ! C'était l'antidote infaillible et instantané !

Avec le temps, j'ai appris à ajuster mes besoins à mes revenus et à apprécier ce que j'avais au lieu de toujours vouloir ce que je n'avais pas. Ça a fait une énorme différence dans ma vie. Lorsque je sentais la frustration me gagner parce que je voulais quelque chose à tout prix et que je ne pouvais me le procurer immédiatement, je m'assoyais, je dressais une liste de mes priorités et j'allais chercher ce que je voulais dans cet ordre. Certaines choses prenaient plus de temps que d'autres, mais ce n'était pas grave. C'est ça, gérer sa vie.

En apprenant à construire la mienne selon mes choix et mes désirs, j'ai développé des qualités que je ne me connaissais pas – entre autres mon aptitude au pardon –, et j'ai renoué avec mon père. Ça ne s'est pas fait en un tournemain, oh ! que non ! Cependant, on a tous les deux réappris à se connaître et on s'est apprivoisés. Ce qui est super, c'est qu'il s'envole vers le Sud en fin de semaine. Je n'en reviens pas !

« Tu sens venir ta mort ?

– Non, je te regarde aller depuis longtemps et je me suis dit que si tu avais décidé que tu méritais ce qu'il y a de mieux, je pouvais peut-être essayer de faire pareil. Il n'y a pas que les parents qui enseignent aux enfants. Les enfants sont de très bons professeurs, crois-moi !

– Aussi simple que ça ?

– Non. J'ai eu peur, il y a six mois. Je me suis enragé parce qu'un client n'avait pas payé sa facture, et j'ai ressenti une douleur épouvantable à la poitrine. Heureusement, j'aime mieux connaître la vérité plutôt que de mariner dans mes doutes, alors je suis allé voir le médecin. Ce n'était pas une attaque, mais j'ai commencé à penser sérieusement à ce qui m'a conduit jusque-là, et j'ai décidé d'aller... (je ne le laisse pas finir sa phrase)

– Consulter ?

– Oui, mais pas un psy. Tu l'ignores peut-être, mais j'ai adopté les médecines douces depuis un bon bout de temps. J'ai choisi les thérapies qui me convenaient et avec lesquelles je me sentais bien. Le résultat est surprenant, je dois dire. Je me sens tellement mieux ! J'ai vidé mes tiroirs des vieilleries qui les encombraient et je me sens tout léger. C'est super ! Je ne pense même plus au manque d'argent, ce n'est pas peu dire ! Et puis, en plus, je pars en voyage ! Seul, comme un grand garçon. Par ailleurs, je ne l'ai pas encore dit à ta mère, mais je lui ai acheté un billet pour aller voir Céline Dion à Las Vegas, le mois prochain. Elle et Louise en parlent depuis un an. Je veux la gâter, alors je leur paye chacune leur billet.

– Tu ne veux pas y aller avec elle ?

– Non... Elle me supporte depuis tant d'années ! Un petit *break*, avec sa meilleure amie, ça va lui faire du bien. Ta mère, Hugh, c'est la femme la plus merveilleuse qui soit. C'est mon grand amour. Quand elle est née, je suis certain que tous les anges du ciel lui ont donné une partie de leur cœur parce qu'elle *est* le cœur de tous les anges rassemblés. Et toi, Hugh, tu es son fils, alors tu ne peux qu'être un ange, toi aussi.

– De même que je suis ton fils, Papa, ce qui me rend encore plus fier d'exister. Je t'aime, tu sais !

– O.K., là, tu vas me faire chialer. »

Je me suis approché, je l'ai serré dans mes bras, et il a pleuré : « Je t'aime, mon Hugh. ». Et j'ai pleuré. Puis on s'est tus. Parce que quand l'amour se dit, les mots s'inclinent.

9

Je n'ai pas le temps

L'histoire de Sam

Je m'appelle Sam, j'ai 32 ans, je suis marié à une femme formidable et, dans quelques mois, je serai papa. Mais je ne verrai pas grandir mon enfant.

Ma vie a toujours été peuplée de trop de gens et de choses à faire. « La vie, Fils, c'est une course, et c'est sérieux. Alors, cours aussi vite que tu peux pendant que tu le peux parce que demain tu seras peut-être mort. »

J'avais 10 ans quand mon père m'a enseigné les rudiments de la vie et que... je n'aurais jamais le temps. À l'école, je me suis précipité dans les études et engagé très tôt dans les sports. Je me suis entraîné et j'ai participé à toutes les compétitions que j'ai pu. Plus tard, je me suis inscrit à l'université où j'ai fait mon baccalauréat en éducation physique tout en continuant à compétitionner, particulièrement dans la course à pied. J'ai gagné plusieurs prix et médailles, pour finalement accéder au sommet et devenir champion olympique. J'avais 21 ans. Et mon père était foutrement fier de moi. « Si tu meurs demain, Fils, tu auras accompli, à ton âge, plus que la majorité des gens pendant toute leur vie. Forest Gump peut aller se rhabiller. Comparé à toi, c'est un amateur. »

Ça me faisait un petit velours de l'entendre me dire ça, et j'aimais ce sentiment d'être plus et mieux que tout le monde. J'aurais pu affronter l'univers entier tellement j'étais gonflé à bloc. Je vivais à cent à l'heure et j'aimais sentir les poussées d'adrénaline qui me propulsaient au-delà de moi-même et de mes propres capacités.

Mon père avait 45 ans. Et cet été-là, il a failli se tuer dans un accident d'automobile. Il roulait sans doute trop vite (il ne l'a jamais admis), dans le but de rattraper quelques minutes perdues dans un embouteillage. Il faisait toujours ça et, maintenant, il était cloué à un fauteuil roulant pour avoir été trop pressé de vivre par peur de mourir. Moi, je crois plutôt qu'il avait plus peur de vivre que de mourir. Pour lui, *vie* et *vide* étaient synonymes, et il avait besoin de remplir ce vide de trop de tout. Quand il était petit, ses parents l'avaient envoyé pensionnaire dans une école privée et ne l'avaient visité qu'une fois par mois. Plus tard, ils lui avaient payé des études en Californie, où il a rencontré ma mère. Il a toujours refusé de me parler de sa vie familiale qui, disait-il, n'intéressait personne. Pas plus lui que ses parents.

Heureusement, les miens étaient plus ouverts et affectueux (quoique mon père a toujours brillé par son absence). En réalité, j'ai peu connu mes grands-parents puisqu'ils sont morts ensemble dans un accident d'avion. Ils allaient visiter mon père en Californie pour la première fois depuis qu'il avait entrepris ses études universitaires, deux ans auparavant. C'étaient des mondains qui fréquentaient la haute société et qui avaient peu de temps à consacrer à une progéniture qu'ils n'avaient pas souhaitée. Ma grand-mère avait un jour avoué à mon père qu'il était un accident de parcours, mais qu'elle l'aimait quand même. Quel manque de tact ! Voir si on dit ça à son enfant. Ironie du sort, ils avaient reporté leur voyage de deux jours parce qu'ils devaient rencontrer des *personnes importantes* (c'est ce qu'ils avait dit à mon père), mais l'appareil dans lequel ils se trouvaient s'était écrasé vingt minutes après le décollage. Elle avait 43 ans ; mon grand-père, 45. Une autre coïncidence. Le chiffre 45 semble porter la poisse aux hommes de la famille, ce qui m'a toujours fait me demander s'il ne planait pas sur nous une fatalité à laquelle je n'échapperais pas non plus.

À l'école, j'étais l'élève parfait : studieux, ponctuel, attentif et pressé d'apprendre. Dans les sports, je performais. Toutefois, quand mon père a eu son accident, j'ai abandonné la compétition et je me suis trouvé du travail en tant qu'enseignant en éducation physique. Rapidement, je me suis taillé une place de choix ainsi qu'une excellente réputation que je me suis fait fort de maintenir. Je me donnais entièrement et intensément à mon travail, je m'impliquais partout, dans les fêtes et les rencontres scolaires et, pour m'assurer de ne pas perdre une seule minute de mon précieux temps, je suivais des cours de danse, seule activité sociale me permettant de rencontrer des filles et d'avoir une vie sexuelle active et intéressante sans pour autant m'engager dans une relation stable.

Je ne voulais pas d'une vie familiale. Qu'est-ce que j'aurais pu faire d'une femme, et d'un bébé qui m'aurait tenu éveillé toute la nuit pendant des mois ? Concilier travail et vie familiale était une entreprise trop difficile pour moi, et tant qu'à suivre l'exemple de mon père et de mes grands-parents, il valait mieux me concentrer sur l'essentiel, vivre pour moi-même et avec moi-même, en ayant le plus de plaisir possible (enfin...) et en courant aussi vite que je le pouvais avant que la mort ne me mette le grappin dessus.

Financièrement, j'étais déjà très à l'aise à l'âge de 25 ans et j'habitais un superbe condo, à Montréal, que j'avais payé comptant avec l'argent économisé depuis quelques années. Je n'étais ni radin ni dépensier. Je me fixais un but accessible à court terme, et je le réalisais. Puis je passais à un autre. Jamais je ne courais deux lièvres à la fois. Jamais deux objectifs parallèles à atteindre. *One thing at a time.*

Ma prochaine étape était une maison dans les Laurentides, que j'ai fait construire l'année de mes 28 ans pour m'obliger à m'éloigner du bruit de la métropole et m'immerger dans le calme de la campagne. Je ne sais pas ce qui se passait en moi, mais je sentais qu'il me fallait briser une routine qui commençait à me peser et à me rendre agressif et froid. Depuis un moment, en effet, j'avais des brûlures d'estomac et je manquais de patience.

Je n'avais pourtant pas une existence difficile, et personne ne me compliquait la vie, mais je n'étais pas dans mon assiette.

Un matin, c'était en début d'année, un étudiant vient me voir avant le cours de basketball.

« Je m'excuse, Monsieur, mais je n'ai pas pu me procurer les espadrilles réglementaires.

– Comment ça, tu n'as pas pu ? Vous avez tous reçu des documents, à la maison, dans lesquels il est écrit, noir sur blanc, que pour participer au cours de basket, vous *devez* porter les espadrilles réglementaires.

– Ma mère n'a pas pu les acheter.

– Ça, mon gars, ce n'est pas mon problème.

– Mais, Monsieur...

– Il n'y pas de *mais* ! Au prochain cours, apporte tes espadrilles ou tu vas réchauffer le banc jusqu'à ce que tu les aies.

– Je ne pourrai pas me les procurer avant quelques semaines, Monsieur.

– Alors, tant pis, tu ne joueras pas.

– Monsieur, mon père est mort d'un cancer il y a un mois. Les médicaments qu'on a dû acheter pour l'empêcher de souffrir ont coûté très cher, et tout l'argent économisé pour mes études y est passé. On n'a plus un sou en banque, et le salaire de ma mère suffit à peine pour payer le loyer et la nourriture. Je vais trouver du travail, les fins de semaine, et je pourrai les acheter, ces espadrilles. Mais en attendant, laissez-moi jouer, s'il vous plaît. Je ne mettrai pas de souliers, alors je ne ferai pas de marques sur le sol.

– Désolé. Les règlements sont les règlements. Si tu te blesses, c'est moi qui serai tenu responsable et qui devrai en répondre devant la direction. Va voir le directeur, si tu veux. Peut-être qu'il peut t'aider. Moi, je ne peux rien faire pour toi. »

J'ai sifflé et appelé les joueurs. Patrice est resté sur le banc pendant toute la partie.

Quand je suis rentré chez moi, j'ai enfilé mon habit de jogging et je suis allé courir pendant une heure, comme je le faisais tous les jours – sept jours par semaine – à la même heure, depuis sept ans. J'avais cessé la compétition, mais je courais toujours. À mon retour, j'ai pris une douche, j'ai débouché une bouteille de bière, je suis allé m'asseoir au salon et j'ai ouvert la télévision. Dans le film qu'on présentait, on voyait un garçon de 10 ans environ, appuyé sur la rampe d'un balcon, qui regardait le ciel et parlait à une étoile plus brillante que les autres, pendant que jouait, en musique de fond, *Somewhere over the rainbow* (une chanson interprétée par Judy Garland).

« Étoile brillante, étoile scintillante
De ce soir, première étoile vaillante
Ce que j'aimerais, ce que je voudrais
Faites que mon vœu se réalise
S'il vous plaît, Seigneur
Faites que mon père vive assez longtemps
pour me voir grandir
C'est tout ce que je demande. »

Du coup, Patrice m'est venu en tête. Il avait à peu près 16 ans, et tout ce qu'il voulait, ce matin, c'était jouer au basketball. Et moi, je l'avais fait poireauter pendant une heure parce qu'il n'avait pas les moyens de s'acheter ces foutues espadrilles réglementaires. Je me sentais petit, tout d'un coup. Ôter à un gars, qui a vu dépérir et mourir son père, le droit de jouer au ballon pour éviter qu'on ne me prenne en défaut ou que ne soit entachée ma sacro-sainte réputation du parfait éducateur à qui on n'a jamais rien à reprocher, c'était très petit. Et plus j'y pensais, plus je me sentais minus à côté de ce grand gars qui devait mesurer 6 pieds et 2 pouces et qui est resté assez digne pour ne pas me coller une bonne baffe en pleine figure afin de me remettre les idées en place. Pour qui je me prenais ?

D'un autre côté, qu'est-ce que je pouvais faire pour lui ? On a tous nos problèmes, et on doit faire avec. Moi, mon père n'était pas mort. Ma mère non plus. Néanmoins, jamais ils n'étaient venus me visiter à Montréal. Trois heures de route, ça ne les aurait pas tuer, mais... enfin, j'en ai pris mon parti. Et puisque ma vie semblait si peu les intéresser, je n'allais pas les voir non plus. On se parlait au téléphone de temps en temps, quand j'avais le temps.

J'ai vite oublié cet incident, et je me suis replongé dans mes préoccupations personnelles. Jusqu'à la semaine suivante, quand Patrice s'est présenté au gymnase sans ses espadrilles.

« Monsieur, je n'ai pas encore les chaussures réglementaires, mais j'ai trouvé du travail et je pourrai les acheter bientôt. Est-ce que je peux jouer, aujourd'hui ?

– Non, désolé.

– (Il baisse la tête.) D'accord. »

Je n'en revenais pas de voir quelqu'un d'aussi noble. Ça le rendait gigantesque à mes yeux. Et plus je le regardais, plus je me sentais minable. Quand les autres gars ont commencé à lui lancer des vacheries, il n'a rien dit. Il s'est dirigé vers le banc et s'est assis. Une partie de moi se sentait pitoyable. Je n'avais jamais éprouvé ça avant.

« Les gars, vos gueules et courez ! Patrice, viens ici.

– Oui, Monsieur ?

– C'est quoi ta pointure ?

– Du 12, Monsieur.

– O.K., va t'asseoir.

– Oui, Monsieur. »

Ce jour-là, en quittant l'école, je ne suis pas rentré chez moi et n'ai pas fait mon jogging non plus. Je suis allé acheter à Patrice les chaussures dont il avait besoin. Je n'avais pas l'habitude de me laisser emporter par les élans du cœur, mais j'avais l'impression que je lui devais bien ça. Pourquoi ? Je l'ignorais encore.

La semaine suivante, je l'ai fait venir à mon bureau, et je lui ai remis les espadrilles.

« Tiens, tu peux jouer au basket, maintenant.

Il prend timidement les chaussures dans ses mains, les tourne dans tous les sens, les essaie et me regarde.

– Monsieur !... Monsieur !...

– Quoi ? Elles sont trop petites ? Trop grandes ?

– Oh non, Monsieur, elles sont parfaites !

– Alors quoi, Monsieur !... Monsieur !... ?

– Je ne sais pas quoi dire. (Ses yeux se remplissent de larmes.)

– Alors, ne dis rien.

– Merci, Monsieur ! Merci beaucoup ! Je vous rembourserai dès que je le pourrai.

– Je ne veux pas que tu me rembourses. C'est un cadeau. On ne rembourse pas les cadeaux.

– Pourquoi vous faites ça ?

– Ça me regarde. Va rejoindre les autres. J'arrive dans deux minutes. »

Pour la première fois de ma vie, je venais de faire quelque chose de désintéressé. Et je me sentais bien. En revanche, je n'avais pas l'intention de verser dans un sentimentalisme exacerbé, alors j'ai passé à autre chose.

L'année s'est terminée sur une note positive. Ma maison, dans les Laurentides, était prête à m'accueillir depuis quelque temps, et bien que je ne m'y étais pas encore installé, plus rien ne restait à faire. Les meubles étaient en place, la décoration était terminée, et tout luisait comme un sou neuf. Je n'avais plus qu'à ramener mes fesses et jouir de mon acquisition.

J'ai tout de suite aimé ce lieu surplombé de montagnes où les gens paraissaient si sympathiques. Je pressentais que j'allais m'y plaire et que je ne chignerais pas pour m'y rendre chaque fin de semaine. Peut-être même que je déciderais d'y vivre à temps plein, qui sait ? Quarante-cinq minutes de trajet, matin et soir, ne représentaient pas un très gros défi non plus qu'un inconvénient majeur. En fait, ça stimulerait plutôt mon besoin de courir après ma queue et de me maintenir dans la course.

Le samedi après-midi, j'ai fait le tour du village en voiture et je suis retourné chez moi pour me changer. J'avais envie d'aller souper au restaurant et de socialiser un peu. Sans doute que je ferais la connaissance de quelques personnes qui vivaient dans le coin. Le village ne comptait tout de même que 1500 habitants.

« Bonjour, Monsieur. Vous désirez un apéritif ?

– Je vais commencer par un café, s'il vous plaît.

– C'est vous qui habitez la nouvelle maison sur la rue des Prés ?

– Oui, en effet. Je viens tout juste de m'installer.

– Alors, bienvenue chez nous ! Vous aimerez l'endroit, c'est certain.

– Merci, je sens, en effet, que je vais me plaire ici. »

En même temps que je conversais avec la serveuse, une belle fille aux longs cheveux blonds et aux yeux verts est entrée. Une apparition ! Elle était ce que j'avais vu de plus beau de toute ma vie ! « Dieu, si tu existes, fais qu'elle habite dans le coin ! » Et Dieu m'a piqué un clin d'œil. Elle parlait à tout le monde, et tous semblaient la connaître. Si elle n'était pas de la place, elle n'était certainement pas une étrangère. Donc, tous les espoirs étaient permis. « Dieu, reste de mon bord, il faut que je lui parle ! » Et Dieu s'est manifesté plus vite que je ne l'aurais cru.

« Salut ! Je me présente : Lounie.

– Salut ! Moi, c'est Sam. Lounie... c'est la première fois que j'entends ça.

– Je sais. Je suis unique. (Sourire) Je peux m'asseoir ?

– Euh... oui, oui, bien sûr. (J'ai l'air d'un gamin.)

– Alors, Sam, tu déménages par ici ?

– En fait, je vis à Montréal, mais je pense éventuellement m'installer ici, oui.

– *Cool* !

– Et toi ? Tu habites dans le coin ? Tu fais quoi dans la vie ?

– Je suis native de l'endroit, j'y habite et j'enseigne au primaire, 1re et 2e années. Toi, tu fais quoi ?

– Je suis professeur d'éducation physique au secondaire.

– *Cool* !!! »

Elle se lève, me tend la main...

« Je dois y aller, Sam. Heureuse de t'avoir rencontré.

– Plaisir partagé.

– Oh ! Vendredi soir prochain, on organise une soirée-bénéfice pour *Opération enfants soleil*. Si le cœur t'en dit, viens nous rejoindre à l'auberge *Le chant des cygnes*. C'est à dix minutes d'ici.

– J'y serai, compte sur moi !

– Super ! On se voit vendredi, 20 heures. Je te présenterai aux autres. Tu danses ?

– Yep.

– *Cool* !!! Salut ! »

Inutile de dire que j'étais là, comme un seul homme, le vendredi suivant. Et tous les autres aussi. Entre Lounie et moi, les choses avaient évolué positivement, et même s'il n'était pas dans nos projets immédiats de fonder une famille, on avait le goût d'être ensemble. J'ai donc quitté Montréal, un an plus tard, pour m'établir dans les Laurentides où j'avais, au préalable, trouvé du travail comme enseignant. Pendant cette année, qui a précédé mon déménagement, j'ai couru encore plus vite que jamais. Et au moment de faire mes derniers adieux aux étudiants, une surprise m'attendait.

« Monsieur, j'aimerais vous offrir ceci.

– Merci beaucoup, Patrice. Qu'est-ce que c'est ?

– Ouvrez-le, vous verrez.

– Une clé en or ? Elle ouvre quoi ?

– Votre cœur, Monsieur. Lorsque vous l'avez ouvert pour moi, vous m'avez redonné l'espoir qui m'a permis de croire à mes rêves. Et si je fais partie de cette équipe, aujourd'hui, c'est grâce à vous. Je ne vous oublierai jamais. »

Patrice avait été recruté par des chercheurs de tête et était maintenant considéré comme l'un des meilleurs. Il avait réussi à se tailler une place au soleil, et j'étais content pour lui. Il était un champion bien avant que je ne lui offre ces espadrilles. Quant à moi, j'en étais arrivé à croire que Dieu existait vraiment parce que lui seul avait pu créer un ange aussi pur et beau que Lounie.

Trois ans s'étaient écoulés depuis mon déménagement, et à force de vivre avec Lounie, j'avais l'impression d'être devenu quelqu'un de meilleur, comme si elle faisait jaillir de moi ce que j'avais de mieux. Elle ne pouvait être que l'œuvre de Dieu.

« Sam ! Chéri, où es-tu ? (Lounie est tout excitée.)

– Je suis là. Qu'est-ce qui se passe ?

– J'ai une surprise... Tu sais ce dont on parle depuis quelques mois...

– On a parlé de pas mal de choses depuis quelques mois.

– Sam... je suis enceinte !

– Enceinte ? Vraiment enceinte ? On va avoir un bébé ?

– Oui, tout ce qu'il y a de plus enceinte ! On va avoir un bébé !!! »

Je n'en revenais pas ! J'allais être papa. Moi !!! La nouvelle était d'autant plus merveilleuse que je venais d'avoir 32 ans. Ma vie avait pris une tangente inespérée, une direction que je n'aurais jamais imaginée et à laquelle je n'aurais pu penser même dans mes rêves les plus fous. Lounie et moi allions avoir un bébé ! Et cet enfant, contrairement à ce que j'avais longtemps pensé, m'apparaissait comme une bénédiction, comme la plus grande réalisation de mon existence. Donner la vie. Y a-t-il quelque chose de plus noble et de plus merveilleux ? Je me sentais aussi puissant que le rocher de Gibraltar. Intouchable. Invincible.

« Chéri, je t'ai vu grimacer toute la journée. Qu'est-ce que tu as ?

– J'ai un peu mal au ventre. Le stress, sans doute. J'en ai accumulé pas mal avec les années. Ça va passer.

– Tu devrais voir le médecin, ça me rassurerait.

– Si la douleur persiste, j'irai, c'est promis. »

Et la douleur, au lieu de s'atténuer, s'est intensifiée au point, parfois, de devenir insupportable. Ça ne durait jamais longtemps, mais ça faisait un mal de chien ! Alors, j'ai consulté.

« Sam, je crois qu'il y a un problème au niveau du foie, mais avant de poser un diagnostic, j'aimerais passer d'autres tests.

– C'est grave, vous croyez ?

– Passons d'abord les tests. On verra par la suite.

– D'accord, c'est vous le docteur. »

J'ai passé une batterie d'examens et, avec Lounie, je suis retourné voir le médecin (elle ne voulait pas que j'y aille seul).

« Sam, les nouvelles ne sont pas bonnes. On a diagnostiqué un cancer du foie.

– Un cancer ? Mais j'ai seulement 32 ans.

– Je sais. Je suis désolé.

– Mais vous allez me soigner, et je vais guérir ?

– On peut essayer un traitement expérimental, cependant je doute fort qu'il puisse vous guérir. Votre tumeur est très grosse et, selon moi, votre temps est compté. Essayons ce traitement, et si ça ne fonctionne pas, on pourra peut-être envisager la chimiothérapie ou la radiothérapie. »

Qu'est-ce qu'on fait quand on apprend qu'on a un cancer qui va nous tuer ? « Peut-être que si je cours assez vite, je pourrai lui échapper ? Et mon enfant... Je ne le verrai jamais ? Oh non ! ça, pas question ! Ce n'est pas un cancer qui va m'ôter le droit d'être père ! Ce n'est pas cette saloperie qui va m'empêcher de tenir mon petit bébé dans mes bras ! »

Et pourtant, il y avait fort à parier que j'y passerais avant qu'il ne naisse. C'était aussi l'avis du docteur quand on s'est vus la troisième fois.

« Je suis désolé, Sam. Le traitement est inefficace. La tumeur grossit, et je crois que vous devez regarder la réalité en face. Il ne vous reste que quelques mois, tout au plus trois ou quatre.

– Je ne vais pas mourir, Docteur. Je vais vivre et voir naître mon enfant. Ça, je vous le jure !

– J'aimerais que vous ayez raison, croyez-moi, mais à ce stade de la maladie, on ne peut plus faire quoi que ce soit. Je vais vous prescrire des médicaments qui apaiseront la douleur. Ça, au moins, je peux le faire. Et j'aimerais vous revoir dans deux mois. Entre-temps, n'hésitez pas à m'appeler si vous avez des questions ou si vous croyez que je peux vous aider.

– Ouais... bien sûr. »

Le ventre de Lounie grossissait, et moi... je survivais. Je ne sais pas si c'était à cause des médicaments, mais je ne souffrais pas vraiment et, en fait, je ne me sentais pas aussi malade que j'aurais dû. Peut-être que le bon docteur s'était trompé et qu'il m'apprendrait, à ma prochaine visite, que la tumeur s'était résorbée ? Ça arrive ces choses-là. Enfin, je crois. De toute manière, je n'ai pas pris de chance. J'ai arrêté de travailler pour me reposer et être avec ma femme. Je voulais aussi préparer ma sortie et laisser à mon enfant quelques souvenirs qui lui rappelleraient que j'avais existé, que je l'aimais et que je serais toujours à ses côtés.

J'ai donc décidé de lui enregistrer des cassettes audiovisuelles dans lesquelles je lui montrerais à lire, à écrire, à marcher, à jouer de la guitare, à faire la cuisine, à jardiner et, bien entendu, à séduire les filles et à les respecter. Ça, j'y tenais. J'ai peut-être pas mal butiné d'une fleur à une autre, au cours de ma vie, mais jamais je n'ai manqué de respect à une femme!

Dans une autre cassette, je lui raconterais des histoires pour l'aider à s'endormir; une troisième l'informerait de son bagage génétique (il avait tout de même le droit de savoir d'où lui viendraient certaines bizarreries de son comportement), et la quatrième cassette parlerait de ce qui me viendrait à l'esprit sur le moment.

Évidemment, tout ça dépendait du temps qu'il me restait. Et pour ne pas risquer de mourir avant d'avoir tout dit, je passais le plus clair de mon temps la caméra à la main ou sur le trépied, ce qui n'arrêtait cependant pas la course folle dans laquelle s'engageait chaque nuit mon esprit. Depuis des jours, en effet, je faisais d'épouvantables cauchemars dans lesquels je voyais mon père et ma mère en pleurs à côté de ma tombe.

« Pourquoi tu ne les appelles pas, Sam ? Ils ont le droit de savoir.

– Je n'ai pas envie. C'est un cauchemar, c'est tout. Sans doute les médicaments. Quand je jugerai que je dois absolument les appeler, je te le dirai. Pour l'instant, il faut y aller. Je ne voudrais pas faire attendre ce cher docteur. »

Deux mois s'étaient écoulés, et une série d'autres examens.

« Alors, Docteur ? On en est où, cette fois ?

– Sam, Lounie... Le cancer s'est répandu depuis votre dernière visite. J'ignore même comment il se fait que vous soyez là, assis devant moi, Sam, mais une chose est certaine, il vous reste vraiment très peu de temps.

– C'est ce que vous m'avez dit la dernière fois.

– Oui, je sais. Dans votre état, peu de gens auraient survécu aussi longtemps. Votre volonté de vivre relève presque du miracle.

– Je *veux* vivre. Je vais être papa dans cinq mois, et je ne partirai pas avant d'avoir tenu mon enfant dans mes bras. »

Deux heures après avoir quitté le bureau du médecin, c'était au tour de Lounie de rencontrer son gynécologue afin de procéder à une échographie.

« J'ai tellement envie ! Je sens que ma vessie va éclater !

– Ce ne sera plus très long, Lounie. Jusque-là, votre grossesse se déroule à merveille. Aimeriez-vous savoir si c'est un garçon ou une fille ?

Les yeux écarquillés, je regarde ce qui bouge à l'écran et j'ai peine à croire que c'est un petit être humain. Lounie me regarde, et on fait un signe en guise d'acquiescement.

– Oui, on veut savoir.

– C'est un garçon. (J'ai la bouche ouverte)

– Comment vous savez que c'est un garçon ?

– À moins que votre bébé n'ait trois jambes, Sam, je vous garantis que c'en est un. »

On allait avoir un garçon ! J'aurais dû être déjà mort, mais j'étais là, bien vivant, à regarder bouger mon fils. Il était hors de question que je parte avant vingt semaines. Il fallait que je tienne le coup !

Un soir, je suis sorti sur le balcon pour regarder le ciel et admirer les étoiles. C'est fou comme la vie prend un tout autre sens lorsqu'elle ne tient plus qu'à un fil. Ce qui nous semblait important devient tout à coup insignifiant, et les toutes petites choses prennent une ampleur démesurée. Les gestes quotidiens, le sourire de celle qu'on aime, ses rires, sa tendresse, sa chaleur, sa présence, les souvenirs d'enfance avec leurs odeurs et leurs couleurs nous apparaissent soudain comme les plus grands privilèges que nous ait offerts la Vie. En regardant cette étoile, plus brillante que les autres, j'ai prié, comme l'avait fait le garçon, dans ce film, plusieurs années auparavant. La musique de fond que j'entendais n'était cependant pas *Somewhere over the rainbow*, mais les battements de mon cœur qui se fondaient dans ceux de mon fils que j'imaginais serré contre moi.

« Étoile brillante, étoile scintillante
De ce soir, première étoile vaillante
Ce que j'aimerais, ce que je voudrais
Faites que mon vœu se réalise
S'il vous plaît, Seigneur
Faites que je vive assez longtemps pour voir mon enfant
C'est tout ce que je demande. »

Au cours des semaines qui ont suivi, je n'ai pas lâché ma caméra. Je voulais tant que mon fils sache... Et Dieu, Lui, savait. Voilà pourquoi William (c'est le prénom qu'on lui a donné) n'a pas attendu quarante-deux semaines avant de naître, mais trente-huit.

« Dieu qu'il est pressé, cet enfant !, a dit la docteure. Ce sera sûrement un champion olympique ! »

Ma santé s'était détériorée, et le cancer gagnait du terrain, mais je tenais le coup. Les médicaments diminuaient l'intensité de la douleur, et occasionnaient néanmoins d'autres inconforts. Le médecin m'avait informé que j'éprouverais des faiblesses musculaires et que le seul fait de marcher et de lever des objets deviendrait de plus en plus pénible, voire impossible. « Je vous suggère de prévoir des soins palliatifs à domicile. Je sais que vous souhaitez vivre vos derniers moments chez vous, parmi les vôtres. »

Évidemment, je refusais de mourir à l'hôpital, et Lounie me voulait près d'elle et de mon fils. Elle a donc transformé le salon en chambre à coucher, et une infirmière passait la journée à la maison pour lui faciliter la tâche. C'est très difficile de prendre soin, simultanément, d'un bébé et d'un mourant. La vie et la mort qui se côtoient inondent le cœur de sourires et de pleurs, en même temps, comme s'il s'agissait d'un bouquet dont les fleurs ne survivent que parce qu'on les arrose de larmes.

De jour en jour, je m'affaiblissais davantage et je ne pouvais plus gravir les marches qui me menaient à la chambre de mon fils, mais j'avais la chance d'avoir encore suffisamment de force pour pouvoir le tenir dans mes bras, lui raconter des histoires et le bercer. Et Dieu merci, j'avais eu le temps de terminer l'enregistrement des cassettes qui lui tiendraient compagnie en mon absence.

« Lounie, chérie, j'ai encore fait ce cauchemar ! Je pense que je dois parler à mon père et à ma mère. Tu veux bien les appeler pour moi, s'il te plaît ? »

J'avais besoin de voir mes parents une dernière fois avant de mourir. Et, cette fois, ils les ont supportées ces trois heures de route. Quelle tête ils ont fait en voyant ma tronche ! Et quels frissons ont parcouru mon corps lorsque j'ai pris conscience à quel point je les aimais ! J'étais heureux qu'ils soient là, près de mon lit et non debout, en pleurs, à côté de mon cercueil. Je n'aurais pu partir l'âme en paix sans leur avoir demandé pardon pour toutes ces années au cours desquelles je les avais ignorés par dépit, colère ou ressentiment. Peu importent les raisons qui nous avaient éloignés, la mort tranchait, maintenant, et n'avait que faire de nos faux-fuyants ou de nos justifications. Quand elle est sur le seuil, tout s'efface. Ne reste que l'essentiel. L'Amour, la Vérité et le Pardon.

Ce soir-là, j'ai demandé à Lounie et à mon père de m'amener à la chambre de William. Il dormait à poings fermés, mais je savais qu'il me voyait et m'entendait. Et ce serait la dernière fois.

« William, mon bébé, mon fils, mon homme. Je vais mourir, mais je ne le fais pas exprès, tu sais. La mort, c'est une manière plutôt dure d'apprendre la vie. Si je l'avais respectée davantage, sans doute que... Mais il est trop tard pour les regrets. J'ai couru pendant plus de trente ans pour éviter de mourir avant d'avoir vécu, et c'est en courant aussi fort que j'ai attrapé la mort. Eh oui ! ça s'attrape, la mort. Comme un virus qui s'agrippe à toi au moment où tu t'y attends le moins parce que tu n'as pas su tenir compte des messages et des signes de la Vie.

« Ce que je veux te dire, mon bébé, c'est que si le but ultime de ma vie était de t'offrir la tienne, alors j'ai accompli ce qu'il y a de plus grand au monde. Je t'aime, et je suis si reconnaissant pour le temps qu'on a passé ensemble, tous les deux. Je te jure, sur mon âme, que je n'ai jamais été plus heureux que le jour où tu es né. C'est un moment merveilleux, mémorable et privilégié que j'emporte ce soir avec moi. Je vais mourir cette nuit, je le sais. Mais sache que si tu ne me vois plus, ça ne veut pas dire que je n'existe plus. Ce n'est pas avec les yeux qu'on voit l'essentiel, mais avec le cœur. Le Petit Prince l'a dit. Alors, quand je te manquerai, écoute ces cassettes que j'ai enregistrées pour toi. Et, de temps en temps, va sur le balcon, lève les yeux au ciel et regarde la plus brillante des étoiles. Elle scintillera pour toi, comme elle l'a fait pour moi. Et là, tu sauras que je suis avec toi, maintenant et pour toujours. Je t'aime, William. Je t'aime tellement ! Je t'aimerai toujours. »

Mon père est mort cette nuit-là. Mais avant de s'en aller, il m'a offert, en héritage, les plus importantes de toutes les vérités. Il m'a enseigné que...

La mort, c'est la vie inversée
C'est le temps qu'on n'a pas pris
Le ressentiment qu'on a nourri
Le pardon qu'on n'a pas accordé
La reconnaissance qu'on n'a pas démontrée
La richesse qu'on n'a pas partagée
L'amour et le temps qu'on n'a pas su se donner

La mort, ce sont les mots qu'on n'a pas dits
Les préjugés qu'on a entretenus
Les sourires qu'on n'a pas donnés
Les petites choses qu'on n'a pas vues
Les grandes choses qu'on n'a pas accomplies
Les rêves qu'on a abandonnés
Les espoirs qu'on a tués
Les instants magiques qu'on a laissés s'envoler

Il m'a enseigné que la vie, c'est la mort inversée.

Mon père m'a appris que pour naître à la Vie, il faut mourir à ses illusions et que chaque jour est lui-même une vie qu'on porte en soi, un moment d'éternité qui, jamais, ne s'éteindra.

Je m'appelle William, j'ai 20 ans, et je suis le fils de mon père.

Épilogue

« Qu'est-ce que tu fais ?

– J'écris.

Tu écris quoi ?

– Des recettes.

– Des recettes de quoi ?

– De bonheur.

– Ça se peut, ça, des recettes de bonheur ?

– Bien sûr puisque j'en écris.

– Et tu mets quoi dedans ?

– Des histoires.

– Et quoi d'autre ?

– Des héros.

– Tu fais des recettes de bonheur avec des histoires et des héros ? Comme quand tu fais du pouding ?

– C'est un peu ça.

– Ça s'peut pas.

– Bien sûr que ça se peut.

– On ne mange pas des histoires et des héros.

– Non, mais on nourrit notre esprit avec les recettes tirées de leurs histoires.

– Elles sont toujours bonnes les recettes des héros ?

– Les recettes des héros de mon livre, oui. Mais les héros n'ont pas tous, nécessairement, de bonnes recettes.

– Pourquoi ?

– Parce que parfois, ils ne savent pas cuisiner, alors ils utilisent les ingrédients de la mauvaise façon.

– Est-ce qu'il y a des bons et des mauvais ingrédients ?

– Non, il n'y a que des ingrédients utilisés de la bonne ou de la mauvaise façon.

– Comment on sait si on utilise un ingrédient comme il faut ?

– Ça goûte bon, et on est heureux.

– Et quand on ne l'utilise pas comme il faut, ça goûte pas bon, et on est malheureux ?

– C'est exactement ça.

– Comment on sait si on est heureux ou malheureux ?

– Quand on est malheureux, on éprouve toutes sortes de symptômes désagréables : haine, peur, ressentiment, colère, tristesse, mépris, préjugés, égocentrisme. Et on n'a pas de rêves.

– Et quand on est heureux ?

– On éprouve des symptômes vraiment agréables : amour, courage, détermination, ténacité, pardon, calme, joie, compréhension, acceptation, altruisme. Et on a plein de beaux rêves qu'on veut réaliser.

– Ç'a l'air bien plus l'fun d'être heureux !

– C'est sûr.

– Pourquoi il y en a qui ne le sont pas ?

– Tu sais, les héros ne sont pas tous d'excellents cuisiniers.

– Pourquoi ? Leur maman ne leur a pas appris ?

– Non, ce n'est pas ça. Chacun vient au monde avec un livre qui lui appartient, juste à lui. Dans ce livre, il y a des recettes qui vont l'aider à apprendre à cuisiner. Au début, il doit lire les instructions et les suivre à la lettre parce qu'il ne sait rien encore, mais à un moment donné, il va décider qu'il a envie d'essayer ses propres recettes ou de transformer, à sa façon, celles qui sont écrites dans son livre.

– Et ça va marcher ?

– Pas toujours. Des fois, les héros manquent de pratique et ne savent pas doser les ingrédients. Ils en mettent trop ou pas assez ou ils font des mélanges épouvantables qui goûtent vraiment mauvais, et c'est souvent là qu'ils se découragent et qu'ils ne veulent plus essayer. Ils pensent que parce qu'ils n'ont pas réussi une fois, ils ne réussiront jamais. Ou bien, ils se font croire que la recette n'est pas si pire que ça parce qu'ils ne veulent pas se pratiquer plus.

– Et ils deviennent bons quand même ?

– Non. Le secret, pour être bon, c'est de changer d'attitude et de pratiquer.

– Ça veut dire d'arrêter de bouder puis de recommencer ?

– Exactement !

– Et ça marche, ça ?

– Tout le temps !

– Est-ce que j'en ai un livre de recettes, moi ?

– Bien sûr que oui !

– Ça veut dire que je suis un héros ?

– Oh oui ! Un vrai !

– Ça veut dire que je suis plus fort que tout le monde, comme les vrais héros ?

– Ça veut dire que tu es fort comme tout le monde parce que tous les gens sont des héros.

– Ah... je pensais qu'il y avait juste un peu de héros, moi.

– Il y en a plus de sept milliards sur la terre !

– Ça veut dire qu'il y a sept milliards de livres de recettes pour se faire du bonheur ?

– Oui. Et tu sais quoi ? Ce qu'il y a de plus extraordinaire, c'est que tout le monde peut partager ses recettes avec les autres. Alors, quand quelqu'un est devenu vraiment très bon, il peut aider celui qui manque un peu de pratique ou qui ne sait pas trop comment s'y prendre.

– Est-ce que les grands ont des plus gros livres de recettes que les enfants ?

– Oui et non. On vient tous au monde avec un livre qui contient le même nombre de pages. Mais quand on grandit, on en ajoute d'autres au fur et à mesure qu'on apprend. On ne réussit pas toutes les recettes du premier coup, tu sais. Parfois, même, on en essaie qui ne sont vraiment pas bonnes, alors on les laisse tomber, mais on continue à pratiquer. Il ne faut jamais, *jamais* lâcher ! Parce que c'est en pratiquant qu'on devient bon.

– Toi, tu les prends où les recettes de bonheur que tu écris ?

– Dans mon livre et dans celui des autres. Il y a plein de personnes très gentilles qui ont partagé leurs recettes avec moi.

– De quoi c'est fait une recette, au juste ?

– Une recette, c'est la somme de tous les ingrédients qui la composent. C'est comme notre vie. Elle est la somme de toutes les expériences qu'on a vécues.

– Ben... une recette puis une vie, c'est pas pareil, quand même !

– Presque. Les ingrédients que contient une recette sont comme les expériences que contient une vie.

– Ah ! j'comprends ! Dans ce cas-là, c'est pour ça qu'il y a des héros plus heureux que d'autres ? Parce qu'ils ont des meilleurs ingrédients dans leur vie ?

– Non, je dirais plutôt que c'est parce qu'ils ont appris à bien utiliser et doser les ingrédients qu'ils ont.

– Bah, c'est facile, d'abord, d'écrire des livres de recettes de bonheur. Quand je vais être grand, je vais en écrire un, moi aussi.

– Tu as déjà commencé...

– Et toi, tu vas en écrire un autre ?

– Qu'en penses-tu ?... »

Mem Yod Kaph Aleph Lamed

Leur définition du bonheur

Dans les pages qui suivent, vous trouverez la définition, la perception ou la vision du bonheur de certaines gens qui vous ressemblent ainsi que de plusieurs personnalités du monde artistique, que vous connaissez, que vous aimez et qui vous aiment.

Puissent la passion, les sourires, les rires et les couleurs qu'elles contiennent embaumer votre vie d'un parfum d'amour, de paix, de sérénité et d'harmonie afin qu'à votre tour, vous répandiez autour de vous des arcs-en-ciel de bonheur et les prémices d'un monde plus heureux.

JOANNE BOIVIN, animatrice radio

Je pense que chaque personne a un pourcentage de capacité de bonheur. Il n'en tient qu'à nous, ensuite, de le faire fructifier. Pour moi, le bonheur c'est une bonne bouteille partagée entre amis, garder mon neveu de deux mois pendant quelques heures, lire un bon livre, se prélasser au soleil... Somme toute, j'ai le bonheur facile !

JULIE BOULET, députée de Laviolette, ministre déléguée aux Transports, ministre responsable de la région de la Mauricie

Qu'est-ce que le Bonheur ?

Une question à la fois simple et complexe.

Le Bonheur pour moi, c'est être soi-même.

Le Bonheur, c'est prendre le temps de regarder et d'apprécier ce qui nous entoure. Le Bonheur, c'est prendre le temps de témoigner la tendresse, la passion, l'amitié, la compréhension et l'amour que l'on porte à nos proches.

Le Bonheur pour moi, c'est tout simplement regarder vivre et grandir mes enfants, les sentir heureux et épanouis. J'adore les moments privilégiés où je peux les coller, les agacer, leur dire que je les aime et que je suis fière d'eux.

Le Bonheur, c'est aussi un travail qui me passionne et grâce auquel je peux aider les gens. C'est accomplir avec conviction ce travail dans le respect de soi et des autres. C'est accepter nos limites, nos forces et nos faiblesses.

Le Bonheur, c'est aussi d'apprécier les beaux moments de la vie, les expériences et les défis qui s'offrent à nous.

Le Bonheur, c'est une foule de petits bonheurs au quotidien.

NOËLLA CHAMPAGNE, députée de Champlain à l'Assemblée nationale

Le bonheur, c'est le sentiment d'un équilibre dans nos vies. Équilibre avec soi-même, avec nos proches et nos amis.

Le bonheur, c'est le partage de nos joies et de nos peines avec ceux qu'on aime.

Le bonheur, c'est d'être aimé pour ce que l'on est.

Le bonheur, c'est la petite surprise partagée.

Le bonheur, c'est le sourire d'un ami.

Le bonheur, c'est le sentiment que l'on fait du bien autour de soi.

Le bonheur, c'est la petite attention qui fait du bien.

Le bonheur, c'est tout simplement la joie dans les yeux de l'autre.

DOUGLAS CHILDERS, écrivain (coauteur de *Divines interventions* avec Dan Millman)

Le bonheur est notre état naturel lorsque nous communions à toutes les expressions de la vie et en ressentons le simple et joyeux frémissement en nous.

ALEXANDRE COMPAGNA, comédien (10 ans)

Jouer au Gameboy, jouer au Nintendo, jouer au Xbox; certaines personnes pensent que c'est ça le bonheur.

Non, ça c'est du plaisir!

Des enfants croient que Noël ainsi que toutes les autres fêtes n'existent que pour recevoir des cadeaux et que c'est ça le bonheur.

Non ! Le bonheur coûte bien moins cher.
Le bonheur c'est d'être en santé.
Le bonheur c'est d'être en famille.
Le bonheur c'est d'être avec ma mère et mon père.
Le bonheur c'est de jouer avec mes sœurs.
Le bonheur c'est d'être entouré de gens qu'on aime.
C'est ça le bonheur !

PATRICE COQUEREAU, comédien

Chère auteure, chères lectrices, chers lecteurs,

Je me sens extrêmement flatté de participer à cet ouvrage ; quel beau cadeau, la quête du bonheur est une de mes préoccupations majeures depuis des décennies.

D'entrée de jeu, je veux être clair ; j'ai été extrêmement privilégié dans la vie. Parents unis et toujours vivants qui m'ont prodigué de belles valeurs, j'ai voyagé, je suis en santé, j'ai pu m'accomplir dans un métier tout de même difficile et qui ne fait pas de cadeau au départ. La concurrence est réelle, chaque acteur-actrice est confronté(e) à lui(elle)-même. Il faut faire ses preuves et persévérer. Beaucoup d'appelé(e)s et peu d'élu(e)s, semble-t-il... Et c'est vrai ! Nous sommes 6 000 comédien(ne)s à Montréal et 20 % gagnent leur vie de façon décente ou adéquate. Vous voyez le topo...

Mais j'ai quand même eu à traverser bien des épreuves, lesquelles tournaient autour de la tyrannie du mental. J'ai une tête de cochon, je l'avoue. Bélier ascendant Sagittaire ou feu ascendant feu, c'est pas reposant pour les proches... J'ai saboté bien des relations, ce qui a toujours été mon point faible. J'ai de la difficulté avec l'engagement amoureux. Pourtant, je suis extrêmement fidèle en amitié ou au travail. Et je me suis tapé de nombreuses et pénibles crises d'angoisse.

Mais, au fil des ans, j'ai développé une philosophie face à l'existence. Moi qui n'ai pratiquement pas suivi de thérapie, les mots et la résonance des mots m'ont permis de sortir de l'enjeu pour passer au jeu. Les mots et les images m'ont littéralement ouvert l'esprit et donné de nouvelles perspectives. Je suis devenu avec les années beaucoup plus ludique et détaché mais pas indifférent !!! Et le rire m'a sauvé !!! Si je n'avais pas autant ri, je serais au cimetière aujourd'hui… C'est pas pour rien que j'ai choisi un métier qui me permet de *jouer* !

Ma conclusion, pour l'instant, après toutes ces années d'introspection et d'expérimentation : tout est énergie, et nous avons le choix entre la peur et l'amour, entre l'exclusion et l'inclusion, entre les blocages (la maladie) et le mouvement (la santé), entre le froid et le chaud, entre la vie et la mort… C'est comme un cours de physique au secondaire ; face à un iceberg, on a le choix de nourrir cette masse en se cramponnant à ses positions et donc ajouter des couches au « problème », ou alors mettre de la chaleur et faire fondre ce mastodonte qui, dès lors, devient fluide dans un premier temps, pour ensuite devenir gazeux et donc subtil… Les expressions associées à ces principes physiques sont nombreuses : « il y a un froid entre nous », « quelle personne chaleureuse ! », « un silence glacial »…

Je ne crois pas au hasard ; si des lois physiques existent universellement, pourquoi pas des lois d'attitude, de cause à effet ? Un crayon ne tombe pas par hasard… Sinon, ça signifie que nous sommes tous irresponsables, et qu'une quelconque autorité gère tout de l'extérieur. Je ne crois pas à ça. C'est notre regard qui fait toute la différence. Qui n'a pas déjà regardé un film avec un ou une amie ; l'un a adoré, l'autre détesté. Pourtant, c'est le même film…

Mais tout est valable ; le jugement n'est qu'un réflexe de peur, et tous, nous y participons. Je me dis qu'en vieillissant nous avons le devoir de nous accomplir et de tout faire pour écouter ce que nous sentons ; sortir du connu et du reconnu, ne plus être en *réaction* et passer en *création*. Il suffit de déplacer le « C » du comportement et le mettre en avant-plan. J'ai déjà entendu une chose merveilleuse : quand on change d'habitude et d'attitude, on change d'altitude.

J'associe désormais le bonheur à la capacité d'entretenir le moment présent, le moment-cadeau… Et je me méfie de l'ego, ce monstre qui nous enferme. Celui qui nous limite quand on l'imite. Ce sauveur tyrannique chez qui on se réfugie face aux difficultés de l'existence et qui nous condamne à l'aliénation, à être donc étranger à soi-même. « Être hors de soi » dit l'expression ou « Être absent »…

En Occident, spécialement, nous vivons dans une société qui favorise tout, sauf le moment présent. Achetez maintenant, payez plus tard. La fuite en avant. Les dettes associées au crédit facile, et qui polluent nos pensées constamment préoccupées par le rendement, l'image, le résultat. La nostalgie entretenue à travers divers produits de consommation (le retour de la Mini ou de la Coccinelle pour les *baby-boomers*). L'accumulation pathologique de biens ou d'argent pour plus tard… Cette course épuise.

Deux autres images traduisent pour moi la quête du bonheur souillée par des considérations superficielles (être superficiel, c'est couvrir beaucoup de terrain sans jamais creuser; ça fait pas des fondations très profondes pour construire quelque chose…). Je nous vois comme des pneus. Nous sommes, à certains moments de nos vies, gonflés à bloc, avec un espace intérieur ferme qui nous permet de rouler notre bosse. Et, dépendant de la vitesse, de la conduite et de la distraction avec lesquelles on mène nos vies, on risque fort de se retrouver crevé. Car toute forme de fuite est l'expression d'une crevaison existentielle. Fuir, c'est littéralement perdre de l'énergie. Il nous faut alors souffler un peu. Et faire face, colmater (dont la racine latine signifie combler).

L'autre image est celle du verre d'eau. Imaginez que votre mental, vos pensées soient comme un verre d'eau. Il peut être limpide, clair, transparent. Même si vous ajoutez quelques petits grains de sable dans l'engrenage de votre quotidien, en restant calme, ils se déposeront au fond, et le soluté, ou la solution, apparaîtra clairement. Mais si on brasse sans cesse l'eau en remuant nos préoccupations, l'eau devient trouble et vaseuse, à l'image de notre vie. S'agiter inutilement est stérile. Devenir responsable (habileté à trouver ses propres réponses, à répondre de ses actes) n'est pas nécessairement facile, mais c'est une aventure merveilleuse et infinie comme les arts.

Pour terminer, parce que ma nature excessive me porterait à écrire des pages et des pages, je veux simplement remercier la Vie d'avoir été patiente envers moi, je veux remercier tous les gens que j'ai pu rencontrer et qui m'ont beaucoup appris, et merci à vous, Marie-Phé, ainsi qu'à vous, lectrices et lecteurs, de m'offrir ce cadeau !!! Portez-vous bien, et comme disait le Petit Prince : *« Tâche d'être heureux... »*

NORMAND D'AMOUR, comédien

Il est toujours autour, furtif, silencieux. Souvent perché sur notre tête, il s'amuse à apparaître quand bon lui semble. C'est à ce moment précis qu'il faut ouvrir l'œil, le bon ! Parce qu'en vérité, il est toujours là. Là où est le sourire, là où le BBQ grésille, là où la neige, en gros flocons, s'amasse sur la branche, là où l'on veut, en fait. Prendre conscience que vivre est un cadeau, c'est accueillir notre ami, le bonheur, en soi. Il est là, en nous. Il est là, près de notre cœur. Là où l'enfant que nous étions s'est endormi. Réveillez votre enfant intérieur, et il vous apportera un petit bonheur au déjeuner. *Aimez-vous !*

CLAUDETTE DION, chanteuse, animatrice

Le bonheur, c'est un rôdeur qui nous tourne autour. Il faut le saisir. Comment ? Avec *le cœur.*

Ce sont de petites choses simples. Comme par exemple, la présence d'un enfant avec qui on rit aux éclats, et de se dire : « quel bonheur ! »

Être avec un ami avec qui on a le goût de partager ; beau temps, mauvais temps, ce n'est pas important, on est juste bien.

Il y a aussi les doux moments de plénitude avec l'être aimé et se dire qu'on a absolument besoin de rien, juste être là, ensemble ; quel bonheur !

Je pourrais, bien sûr, vous raconter plusieurs petites histoires de bonheur, d'anecdotes heureuses, mais je vais vous épargner, car je ne suis pas écrivaine. Je suis juste humaine.

Moi, je pense que le bonheur ne s'achète pas, il est gratuit.

Le bonheur ne se gagne pas comme à la loterie, *on le mérite.*

Il est urgent d'écouter son cœur, parce que là se cache le véritable grand bonheur.

Je vous souhaite, à toutes et à tous, beaucoup de bonheur.

XXX

LISE DION, humoriste

Ma vision du bonheur, c'est…

Redevenir sensible aux choses que l'on avait oubliées et prendre le temps de vivre le moment présent.

Il ne faut pas attendre les grands bonheurs pour se dire qu'on est heureux.

Il faut savoir apprécier ce qui va bien dans nos vies, reprendre contact avec la nature et surtout prendre du temps pour soi.

Pour moi, le bonheur c'est tout simplement ça !

RANSFORD DOHERTY, acteur (Hollywood, Californie)

J'ai déjà entendu, quelque part, que le bonheur dépend des résultats qu'on obtient dans la vie. Il s'avère pourtant que ceux-ci sont parfois très insatisfaisants, alors si mes efforts et mes pensées sont orientés uniquement vers les résultats, je deviens vite un pantin et je m'écroule au premier coup de vent.

En conséquence, j'ai décidé de miser sur l'effort qui mène au résultat plutôt que sur le résultat lui-même. Ce qui m'importe, c'est de m'investir totalement dans ce à quoi je m'engage et de visualiser le meilleur qui puisse arriver. Et, à coup sûr, le meilleur se produit.

Il m'arrive de jouer au golf et d'être un vrai *Tiger Wood*, tandis qu'à d'autres moments, je suis *Puma Bamboo* ! Et puis, alors, qu'est-ce que ça fait ? Moi, je m'amuse, et c'est tout ce qui compte ! C'est ça, le bonheur !

JEAN-MICHEL DUFAUX, animateur

Je sais peu de choses sur cette vie-ci. Mais j'ai une certitude : rien n'est plus important que le bonheur. Par là, j'entends la capacité à être heureux et à rendre les autres heureux. Et malgré toutes les embûches de la vie, je suis persuadé que c'est en soi que se trouvent les réponses nous permettant d'accéder à ce sentiment de paix intérieure tant recherchée.

LOUISETTE DUSSAULT, comédienne

Des projets ! Des projets, des projets... c'est cela pour moi, le bonheur !

Le travail physique de la rénovation, le rêve qui se réalise, la main à la pâte, la joie sur le visage de mes filles, de mes gendres et de mes petits-enfants devant l'ampleur des travaux entrepris. Leur propre plongée dans la vie, ses problèmes et leur façon de les résoudre, ces problèmes... ils sont eux aussi dans la Vie. Fierté de les voir se dépatouiller du mieux qu'ils peuvent ! La projection de tout ce que l'on fera ici : les Noëls ensemble, les sessions d'écriture, les petits spectacles que l'on se donne, les moments d'intimité et parfois de solitude !!! Bref, pour moi, en ce moment, c'est cela le Bonheur. L'action et le travail... encore !

STÉPHANE DUSSAULT, Les Respectables

Le bonheur réside, entre autres, dans la satisfaction du devoir accompli, l'écoute de son intuition (*cœur*) et le détachement de l'appât du gain. Ces trois critères rendent un être humain compatible avec les autres et en phase avec son destin... Suivre sa voie et prendre les décisions adéquates constituent, je crois, l'épreuve générale qui nous est imposée. Trouver son talent propre et en faire profiter les autres représentent, quant à eux, le but de notre séjour ici-bas. L'espoir d'une suite post-mortem et l'existence de dimensions autres que celles que l'on connaît sont, sans aucun doute, des ingrédients indispensables dans la quête de notre bonheur...

STÉPHANE GAGNON, comédien

Le bonheur c'est tout sauf le malheur, et le malheur ne dure jamais longtemps.

MACHA GRENON, comédienne

Pour mon dernier anniversaire on m'a offert un saut en parachute. Cadeau audacieux, que j'ai accepté timidement, à contrecœur, et surtout par orgueil.

La semaine précédant le *grand saut* fut parsemée de moments d'excitation, de terreur et de résignation. J'avais accepté de sauter et d'y laisser ma peau. Bon, c'est comme ça, mieux vaut ne pas trop y penser. Je ne me savais pas si orgueilleuse !

Le jour venu, à l'aube, l'air était frais. En route vers l'école de parachute, j'observais le ciel sans nuages par la fenêtre de la voiture. Ce même ciel d'où j'allais sauter tête première quelques heures plus tard. Je repensais à toutes ces nuits bénies depuis mon enfance, où j'avais eu, à l'occasion, le privilège de rêver que je volais. Ces rêves avaient toujours eu sur moi un effet euphorisant qui me portait une partie de la journée.

Au fond, ce cadeau n'était pas une si mauvaise idée ? Je m'accordais peut-être, malgré la peur et le doute, une liberté nouvelle ? Et si le pas de plus qui mène à l'inconnu n'était pas en soi un renoncement, mais une affirmation du désir de vivre ? Ce même pas qui permet de goûter à l'amour et à la création, hors du bruit de fond contraignant de ma caboche ?

J'ai finalement volé. C'était merveilleusement intense et serein à la fois. Je n'y ai pas laissé ma peau. Par contre, j'ai laissé une partie de ma tête dans cet avion qui m'a conduite droit au ciel. Et c'est une bien bonne chose...

JEAN-FRANÇOIS GROULX, musicien-compositeur

Le bonheur, pour moi, serait probablement l'atteinte d'une liberté et une totale ouverture d'esprit, de là naissant le calme et la plénitude.

Lulu Hugues, auteure-compositrice-interprète

Recette du bonheur, version Lulu

Ingrédients :

Contentement, amour, respect de soi-même et des autres, humour, optimisme, indulgence, don de soi, courage, sagesse, persévérance, bonté, joie, douceur, foi, compréhension, ouverture, tolérance, gentillesse, pardon, acceptation, générosité, légèreté, grâce, lumière, allégresse...

Préparation :

– Utilisez tous ces ingrédients sans en oublier un seul

– Faites macérer avec amour

– Dosez avec bienveillance et humilité

– Mélangez jusqu'à l'obtention d'une félicité complète

Cultivez ces états d'être avec soin, amour et respect et vous obtiendrez un bonheur parfait, stable et éternel.

En résumé, la recette du bonheur, c'est bien simple : il faut juste le vouloir !

Marie-Ève Janvier, chanteuse

Ma recette du bonheur se traduit par un mode de vie bien simple à adopter...

Il suffit de profiter de l'instant présent en le vivant pleinement.

De ne pas se mettre de barrières qui pourraient entraver notre chemin.

D'être reconnaissant envers les sourires de la vie.

De s'émerveiller pour chaque beauté, chaque plaisir, autant petit que grand.

D'être amoureux de quelqu'un, de son travail, de ses passions, de son voisin, de la nature, de la vie.

Le bonheur, je le vis. Je le chante.

CHING-HUI KUO, soprano lyrique

Soleil… Brise d'été…

Nous nous promenons au bord de la rivière

Tu prends ma main dans la tienne

Des chants d'oiseaux remplissent l'air

Le bonheur n'est pas si loin…

Je n'ai pas à le ramasser sur le bord d'un fossé

Je l'ai simplement vu dans tes yeux et senti en moi…

Lorsque, la nuit venue, je veux dormir

Commencent les petits coups de pieds dans mon ventre !

Ah… Quelle merveille ! Quel bonheur !

ALBERT KWAN, acteur

Le bonheur est partout autour de nous ; c'est notre ouverture d'esprit qui le fait rayonner. C'est le coucher de soleil au bout des rues de Montréal, entre les arbres et les immeubles. Ce sont nos enfants qui nous rappellent que l'on fut, un jour, nous aussi des enfants. C'est le vent dans les cheveux de ma fiancée. C'est la compagnie de notre chien. C'est le ronronnement de nos chats. C'est ma fille adolescente qui s'émerveille encore devant la beauté des nuages. C'est de se réveiller chaque matin et pouvoir dire que nous sommes heureux de faire ce que nous faisons. C'est d'avoir des amis qui sont fiers d'être nos amis. C'est d'être fier d'avoir de tels amis et d'être fier d'eux. C'est de pouvoir vivre ensemble malgré nos différences, qu'elles soient ethniques, politiques ou religieuses ; elles ne sont, au fond, qu'une richesse inépuisable de bonheur. Pour peu, puissions-nous être ouverts d'esprit. Le bonheur est tout et rien à la fois. Il est tout ce que l'on veut bien qu'il soit. C'est nous qui décidons de vivre dans le bonheur.

Catherine Lachance

Pour moi, le bonheur ce sont tous ces petits moments où je prends du recul sur ce que je suis en train de vivre et que je me sens pleine de reconnaissance. Alors, je dis merci ! Comme lorsque je lis une histoire à ma petite fille devant le feu après avoir joué avec elle dans la neige...

Louise Lacoursière, écrivaine

Le bonheur, si l'on pense à un état permanent de félicité, n'existe évidemment pas. Toutefois, des moments de petits bonheurs s'offrent à nous à chaque tournant. Le sourire d'un enfant, l'accolade d'une personne chère, le miracle d'un lever de soleil, le chant d'un oiseau, une idée qui se concrétise en objet, en couleur, en musique ou en mots. Toute création de beauté procure un intense moment de communion avec l'univers, un instant de bonheur.

Reconnaître ces éclairs de bonheur nécessite un apprentissage, au même titre qu'apprendre à lire, à sculpter ou à peindre. Certains ont plus d'aptitudes que d'autres, certains sont plus persévérants que d'autres.

Néanmoins, pour accueillir ces petits bonheurs, tu dois d'abord et avant tout t'aimer et t'en sentir digne, ce qui, bien souvent, nécessite aussi un apprentissage...

CHANTAL LACROIX, conceptrice, productrice, animatrice

Le bonheur, c'est :

un repas partagé avec ma famille,
un voyage avec mon amoureux,
une rencontre entre ami(e)s autour d'un bon verre de vin,
le *je t'aime* spontané d'un enfant,
travailler avec mon équipe afin de créer la meilleure émission,
un baiser de mon chum,
un fou rire au travail,
un après-midi à marcher avec mes chiens,
le sourire d'un inconnu.

C'est plein de petits moments qui font partie du quotidien, mais qui font du bien.

Le bonheur nous rend heureux...

Et moi, *j'ai décidé d'être heureuse parce que c'est bon pour la santé.*

BRUNO LANDRY, humoriste à temps plein, philosophe à temps partiel

Ma recette du bonheur...

Qu'est-ce qui différencie l'homme du batracien, du ruminant ou de l'asticot? Bien peu de choses, je vous l'accorde. Mais un jour, l'homme a réalisé que le bonheur pouvait le rendre plus heureux. Paradoxalement, cela provoqua chez lui tourments et angoisse. Depuis ce temps, une question hante la minuscule partie utilisée de sa cervelle : existe-t-il une recette infaillible pour atteindre ce satané bonheur ?

Chers amis, cette recette existe. Vous vous demandez sans doute de quoi, diantre, s'agit-il ? Quels en sont les tenants et aboutissants ? Va-t-il enfin nous la dévoiler ? Y'a-tu fini de nous niaiser, lui, coudonc ?

Puisque vous insistez, je vous la donne en mille : prenez tout ce qui vous rend malheureux, et faites exactement le contraire. Cela peut paraître simpliste mais c'est d'une redoutable efficacité.

Et si ça ne fonctionne pas, c'est parce qu'il n'y a rien qui vous rende suffisamment malheureux. Allez, un petit effort ! Nous sommes tellement doués pour le malheur !

ROGER D. LANDRY, CC., OQ. – ex-président et éditeur de *La Presse*

Le philiosophe américain Ralph Waldo Emerson a défini le bonheur comme un parfum que l'on ne peut répandre sur autrui sans en faire rejaillir quelques gouttes sur soi-même. Pour ma part, le bonheur c'est le rire ou le sourire que mon regard, un geste ou une parole procure à celles et ceux que j'aime.

PIERRE LÉGARÉ, humoriste

Le secret du bonheur, c'est d'être heureux.

PÉNÉLOPE MCQUADE, animatrice et communicatrice

Le bonheur c'est avoir dix ans et courir après une grenouille au bord du lac.

Le bonheur c'est entrer dans le lac glacé et cristallin, après l'avoir évité de toutes ses forces, et avoir l'impression de s'être pris le pied dans un diamant.

Le bonheur c'est tenter de contourner l'herbe à poux, trébucher et se rendre compte qu'on est tombé dans un champ de menthe.

Le bonheur c'est être dévié de sa route par un papillon rose encore plus beau que la grenouille, et pourtant moins accessible.

Le bonheur c'est être triste de ne jamais avoir attrapé le papillon, mais heureux que quelqu'un ait compris que pour assouvir la faim de la chasseresse et la peine de la guerrière, il n'y a rien de tel que la crème glacée.

Le bonheur c'est avoir 33 ans et savoir qu'on n'en a pas fini avec les grenouilles… ni avec la crème glacée.

PIERRE MORENCY, physicien et explorateur du succès

Le bonheur est parfois une hérésie.

Selon moi, c'est un non-sens puisque cela est trop lourd pour des êtres humains comme nous.

Chercher le bonheur, c'est quitter le terrain de jeu, car nous vivons dans un monde relatif, alors que le bonheur est un absolu.

Au lieu de chercher le bonheur, il faut goûter à *une bonne heure* parce que, une fois qu'on a goûté cette *bonne heure*, on ne cherche plus le bonheur.

Laurent Paquin, humoriste, comédien, animateur

J'ai entendu un jour dans une entrevue quelqu'un qui demandait : « Êtes-vous doué pour le bonheur ? » Ça m'a frappé. Le bonheur serait-il une question de talent ? Comme le talent pour le sport, l'écriture ou la cuisine ? Une personne peut adorer faire la cuisine et se planter dans une recette de jello, tout simplement parce qu'elle n'a pas le talent qu'il faut… En serait-il de même pour le bonheur ?

Combien de fois a-t-on entendu dire : « Lui ? Il avait tout pour être heureux et pourtant… » Peut-être avait-il tout, sauf… eh oui ! le talent !

Plus j'y pense et plus je me dis que ça a du sens. Qu'est-ce qui fait qu'un enfant du Chili vivant dans une cabane en tôle, avec une garde-robe d'un seul t-shirt, peut vous envoyer le plus beau des sourires dans une lentille de caméra ? Et que pendant ce temps, un ado, dont le plus grand souci est de savoir s'il a suffisamment de batteries dans son cellulaire pour finir la fin de semaine, peut vous présenter une gueule de dix pieds de long ?

Pourquoi quelqu'un qui a tout pour être heureux ne l'est pas ? Peut-être pour les mêmes raisons qui font que je ne danse pas. J'ai pourtant tout ce qu'il faut pour danser. J'ai deux jambes en parfait état, j'aime la musique… mais il me manque l'essentiel : le talent. Je danse tout croche, comme d'autres vivent tout croches.

Cela dit, je tiens à préciser que je ne crois pas à cette théorie qui dit que chacun est seul responsable de son bonheur ou de son malheur. Que ce n'est qu'une question de travail ou de talent. Il y a, à mon avis, des événements totalement hors de notre contrôle qui viennent influencer nos vies. Mais je pense que, dans une certaine mesure, chacun peut décider de son degré de bonheur.

Mais moi ? Suis-je doué pour le bonheur ? Je ne sais pas. J'ai toujours pensé que le travail pouvait compenser le manque de talent. Un joueur de hockey moins talentueux peut travailler plus fort qu'un autre et réussir aussi bien sinon mieux. Personnellement, je pense avoir un talent moyen pour le bonheur. Mais le fait que j'en sois conscient joue en ma faveur. Je sais que je dois travailler un peu plus fort que quelqu'un de particulièrement doué. Et jusqu'à maintenant… ça me réussit assez bien.

JUDI RICHARDS, auteure-compositrice-interprète

Captive de mes responsabilités, imposées et non... j'y vais. C'est ça, j'y vais. Je questionne, je pense, je me fâche et... j'y vais... Même en aimant, en créant avec passion, j'y vais. Je m'inquiète, je suis bouleversée, je crie, et j'y vais. J'y vais avec ardeur, presque toujours à la course !... Et quand j'arrive... il y a toujours *autre* chose et je n'ai pas vraiment apprécié quoi que ce soit !

Mais je *veux* savourer ma vie ! Pour moi, c'est ça le bonheur ! C'est ma vie après tout ; c'est mon temps !

Est-ce mon temps ? Non... Oui... Peut-être... ? Et si j'avais tout mon temps, apprécierais-je davantage le cadeau : le câlin, le souvenir, l'odeur, l'image, le rire, le moment ?... ou encore la reconnaissance, la compassion, la fierté, la solidarité, l'amitié, l'amour ?

Je *veux* savoir.

Alors, à la place de « j'y vais »... je ralentis.

JUDI RICHARDS (suite)

Les coins de la bouche remontent, les yeux se ferment, les muscles des joues lèvent, les lèvres s'écartent en sourire, l'émail à l'air. Les yeux ouvrent doucement... j'inspire. Les sourcils se rapprochent comme si je questionnais. Et en soupirant doucement, les yeux se baissent, le sourire toujours suspendu s'accroche aux oreilles... La tête s'incline et hoche à peine.

De fins éclairs électriques s'élancent du plexus solaire en toutes directions. Mes orteils se retroussent. Je viens de réaliser que je suis bien. J'ai le bonheur partout.

Brigitte Tremblay, comédienne

Sentir le soleil sur ma peau. Écouter tomber la pluie par un matin de grasse matinée, le cœur léger. Rêver éveillée... Plonger dans un lac dès le début de l'été. Regarder la mer... et marcher pieds nus dans le sable chaud. Prendre un verre de rosé bien froid avec ma meilleure amie sur une terrasse ensoleillée. Discuter. Rire. Sourire aux gens sur la rue. Me blottir dans les bras de mon amoureux. Dire aux gens que j'aime que je les aime. Apprécier chaque moment. Rester ouverte, et capter la vie. Parce qu'elle passe vite et qu'on n'en a qu'une. Et qu'un jour on est vieux. Alors, mieux vaut être vieux et heureux que vieux et plein de regrets.

Bien sûr, il y a la guerre. Bien sûr, il y a la pollution sans cesse grandissante pour notre pauvre petite planète qui s'essouffle. Bien sûr, il y a la misère et les abus de pouvoir. Bien sûr, il y a de ces blessures déchirantes qui restent bien ancrées au fond de nous et qui nous tordent le ventre. Il y a tout ça et bien plus encore...

Mais la vie est grande... et la mienne n'appartient qu'à moi.

Alors, je préfère toujours me relever et continuer à me battre pour voir le bonheur et le prendre. Quotidiennement. Dans tout plein de petits gestes et de plaisirs. Me sentir vivante au lieu de m'en faire pour tous, tout et rien, plutôt que de culpabiliser sur mes erreurs du passé et de m'inquiéter pour mon avenir. Rester consciente et croire au destin. Aux hasards... qui n'en sont pas... Affronter mes peurs. Croire en moi. À mes rêves. À l'amour. À *mon* bonheur ! Et vivre à fond, en regardant ce qui m'entoure. En savourant chaque minute. Et surtout, en me répétant tout cela le plus souvent possible !

Voilà... Sur ce, à la vôtre !

MARIE TURGEON, comédienne

Pour moi le bonheur c'est...

Le moment d'abandon quand ma fille s'endort dans mes bras. Je sais que je tiens là l'être le plus cher au monde.

Pour moi le bonheur c'est...

Quand je plonge mon regard dans celui de ma fille et que celui-ci m'habite juste avant de monter sur scène. À ce moment, je sais que tout est possible.

KAREN YOUNG, chanteuse de jazz

La terre est si belle et si pleine de choses à découvrir ! Il faut toujours être curieux et intéressé par toute sensation : les couleurs, les sons, les goûts, l'oxygène, l'eau. Ce qui me rend triste, c'est que si peu d'êtres humains ont la chance que nous avons. Il existe toutefois une manière d'être plus heureux : essayer d'aider l'humanité à s'orienter vers l'évolution qu'elle mérite. Un retour au jardin avec tout créateur.

Lise Beaulieu, adjointe administrative

Pour moi le bonheur c'est quand tous les aspects d'une vie (le travail, les relations avec les autres, les loisirs) sont alignés de façon à répondre simultanément et harmonieusement aux besoins profonds de tous les éléments du moi (physique, mental, émotionnel et spirituel).

Michel Brouillette, maître coiffeur

Le bonheur, par définition, correspond à l'obtention du désir. Il est multidimensionnel. À vrai dire, il varie selon l'évolution de chacun.

Notre vie entière est une quête inlassable, dans l'unique but de nous mettre à l'abri de notre ennemi : le malheur. Cependant, conscients que le bonheur est fragile, il nous faut savoir qu'il n'a de forteresse que celle qu'on sait lui construire.

Il n'y a que la somme des expériences assumées qui, à l'usure, finalement, nous conduit à la simplicité volontaire, au lâcher-prise, au *non-désir* et, par conséquent, à la *non-possession*. Cette constatation est l'ultime cadeau des gens évolués qui atteignent l'âge mûr.

Un jour, quelqu'un a dit : *Le bonheur est inversement proportionnel à l'attachement à la matière*. Apprendre à accepter de vivre en sachant que rien ne nous appartient, pas même notre propre vie, et à nous débarrasser de l'illusion du « si j'avais ceci ou cela, je serais plus heureux » mettrait fin à nos difficultés.

Sachez que le bonheur est omniprésent. Cependant, si vous êtes des jardiniers du malheur, n'essayez pas de vous l'approprier. Il ne se tient qu'avec des gens habilement prédisposés à le côtoyer, car sa sagesse lui dit tout simplement de se tenir loin de son ennemi.

Maintenant, choisir d'être heureux vous appartient.

LOUISE CARON, répartitrice médicale d'urgence

Le bonheur pour moi, c'est de me sentir libre d'expérimenter des choses auxquelles je tiens. C'est d'avancer dans mon développement, de m'apercevoir que je peux réussir là où je ne l'aurais pas cru possible, il y a quelque temps. C'est consentir à une estime de moi-même. C'est finalement aimer la personne que je suis devenue et qui continue à se transformer. Tout cela, en sachant que je n'ai brimé personne, que je ne me suis servi de personne et que je me suis respectée tout en respectant les autres.

FRANÇOIS CASABON, technicien en informatique

Pour moi, le bonheur c'est d'être bien et satisfait dans tout ce que je fais et entreprends.

C'est un sentiment de bien-être, autant dans sa peau qu'en amour, au travail ou avec ses amis.

Il y a aussi la réalisation de quelques rêves.

Le bonheur pour moi c'est quelque chose de bien simple, de différent pour chacun, accessible à tous et gratuit. Il suffit tout simplement de savoir le créer.

KAREN COLCLASURE, bénévole

Selon moi, le bonheur a différentes significations à différents moments de notre vie.

En général, cependant, je n'ai pas besoin de grandes manifestations pour être heureuse. J'essaie, chaque jour, de trouver au moins une petite chose que j'apprécie et qui m'apporte du bonheur. Je prends conscience de la chance que j'ai en regardant simplement un oiseau voler.

Bien sûr, j'aimerais gagner à la loterie, mais je peux très bien être heureuse sans cela parce que le bonheur n'est pas directement lié aux possessions matérielles, mais plutôt à ce que nous portons en nous-mêmes : les souvenirs, l'amour, l'amitié.

Ce sont de toutes petites choses qui composent la trame de nos vies. Et c'est nous qui leur donnons toute leur signification.

Sylvie Duranceau, directrice générale

Pour moi, le bonheur se trouve dans la simplicité des choses de la vie. S'aimer soi-même, être capable d'aimer et d'apprécier la vie et ce qu'elle peut offrir. Et les rêves nous offrent des objectifs à atteindre. Pas d'objectif, pas d'intérêt et de motivation…

Linda Gagnon, comptable

Le bonheur… Je l'ai cherché toute mon enfance. Tous les vœux que je faisais allaient en ce sens... En marchant sur le chemin de la spiritualité, je l'ai trouvé. C'est un état d'être, l'âme est légère... On se sent porté, soulevé... J'y arrive depuis que j'ai pris l'habitude de méditer chaque matin, et cela me porte tout au long de la journée... Le bonheur c'est être branché, en communication avec son âme... et de suivre ses indications...

Skipper Gaston, technicien et pompier volontaire (Texas)

Le bonheur est l'état dans lequel on se trouve lorsque l'âme et l'esprit sont en paix. Quand aucune distraction ne vient rompre cette tranquillité intérieure, nous pouvons apprécier la beauté de la Nature.

Le bonheur nous touche mille fois et de différentes façons ! Si seulement nous apprenions à *saisir le moment.*

Le bonheur, c'est tenir son enfant dans ses bras pour la première fois.

C'est faire quelque chose de bien pour quelqu'un et constater qu'on a fait une différence dans sa vie.

Personne ne peut nous rendre heureux. Nous seuls le pouvons.

Le bonheur est en chacun de nous. Nous devons apprendre à nous arrêter et à saisir, chaque jour, les opportunités, les cadeaux, que la Vie nous offre. Parce que lorsque viendra pour nous le temps de quitter cette Terre, tous ces moments précieux qu'on aura eus seront ceux qui éclaireront notre mémoire et qui nous réconforteront pour l'éternité.

Diane Giroux

Le bonheur, c'est le reflet de la Lune dans ma chambre quand j'ai fermé la lumière pour la nuit.

C'est le rayon de soleil dans les cheveux de mon chum au réveil.

C'est le chat qui ronronne et qui vient se coller sur moi.

Ce sont les mésanges qui se querellent dans la cour.

C'est ma fille qui arrive de chez son copain et qui me raconte sa journée.

C'est mon gars qui revient de veiller et qui s'assoit sur le comptoir, à trois heures du matin, pour philosopher sur les beautés de la vie.

C'est mon chum qui frappe à la porte en finissant de travailler, fier de m'avoir encore fait déplacer pour voir qui c'était.

Le bonheur, c'est cette question que l'on se pose tous les soirs depuis vingt-cinq ans : « C'est à qui le tour de faire le café ? »

C'est le message d'un ami absent depuis longtemps.

C'est ma mère qui m'appelle pour me demander si ça me tente de me faire battre aux cartes.

C'est ma belle-sœur qui tire la langue en faisant une arabesque dans nos cours de patinage artistique.

C'est la complicité que je trouve avec mes amis en jouant de la musique.

C'est la satisfaction d'avoir réussi quelque chose que j'avais peur d'entreprendre.

C'est la combinaison de tout ce qui fait ma journée, ma semaine, mon année, ma vie.

Et surtout, c'est la reconnaissance que j'ai de pouvoir apprécier tout ça.

RANDY GUESS, poète

Je me contenterai de citer Ghandi :

Le bonheur, c'est lorsque ce que tu penses, ce que tu dis et ce que tu fais sont en harmonie.

LINE JOBIN, enseignante

Le bonheur, c'est de retrouver cette capacité d'émerveillement devant les cadeaux que la vie nous offre. De la partager, de la faire renaître en chacun de nous. Le bonheur, c'est de retrouver son cœur d'enfant.

KENNY LAVERDIERE, spécialiste en ingénierie de la qualité

Le bonheur, c'est être heureux avec ce que tu as et non avec ce que tu veux avoir.

BILLY LEBLANC, coiffeur

Le bonheur, ce n'est pas à chaque instant de la journée, mais plutôt sur l'ensemble des moments de la vie quotidienne. Même dans les épreuves où l'on se surpasse et s'étonne soi-même, on s'enrichit d'une faculté avec laquelle on absorbe encore mieux les instants de bonheur.

Le bonheur est toujours autour de nous ; il suffit simplement d'y être attentif.

HÉLÈNE LEDUC, retraitée (ma mère)

Le bonheur est partout. Il s'agit de le saisir dans une foule de petites choses.

Savoir le reconnaître dans un appel, une parole d'une personne amie ou autre.

Le voir dans le chant des oiseaux… les oiseaux qui visitent nos mangeoires.

Dans les plantes et le jardin qui poussent.

Si on est seul, pourquoi pas un bon repas agrémenté de la flamme d'une bougie ?

Le bonheur, il est en nous. Arrêtons de nous inquiéter pour des choses qui, 96 % du temps, n'arrivent jamais !

JACQUES LEMAY, enseignant

En me levant ce matin, j'étais un peu confus, car j'avais rêvé à de belles scènes, dans la nature, comme je les ai déjà vécues lors de mes nombreux voyages de pêche. Mon superbe chien était couché près de moi et surveillait mes moindres gestes. Une de mes deux chattes était couchée également près du chien, attendant elle aussi mon réveil.

J'ai regardé par la fenêtre : le soleil brillait de mille feux. J'aime le voir. Ça me rend encore plus heureux. Ma petite femme était partie au travail et m'avait laissé un mot doux sur la table. Notre fils adoré nous visite régulièrement et se rapproche davantage de moi.

Je me sens utile dans ce que j'accomplis au travail et dans mes loisirs. J'aime les gens et j'aime qu'ils le sachent et le ressentent. Mais surtout, je sens que je grandis au fur et à mesure que mes poils de barbe blanchissent. Le bonheur, n'est-ce pas un peu ça ?…

SUZIE MAC CRAW, actionnaire

Le bonheur, pour moi, c'est la santé...

Avec la santé, tu peux tout faire.

C'est aussi apprécier et vivre pleinement chaque instant de la vie. Aujourd'hui, on est ici ; demain on ne le sait pas.

Le bonheur, ce sont tous ces petits « bonjour ! » que je reçois, comme ça, question de garder le contact. Ça met du soleil dans une journée.

Le bonheur c'est de pouvoir donner plein d'amour, plein de joie, plein de sourires (c'est contagieux le sourire !).

Si les gens prenaient le temps de vivre un peu. Il y a tellement de stress dans la vie d'aujourd'hui…

MARTIN MARINEAU, enseignant

Depuis plusieurs années, mon principal but dans la vie est d'être heureux, d'atteindre ce qu'on appelle le bonheur. En vieillissant, je comprends davantage que pour trouver le bonheur, il faut apprendre à apprécier ce que la Vie nous offre. Trop souvent, je suis porté à regarder ce que les autres possèdent, alors que j'ai vraiment tout ce qu'il faut pour être heureux.

Pour moi, le bonheur se trouve dans la simplicité, dans le « pas compliqué », dans les petites douceurs du quotidien. Je réussis à le voir tous les jours. Je le sens quand je vois une belle journée ensoleillée ou quand un élève me dit : « Merci, j'ai enfin compris ! » Quand je réussis à émerveiller un groupe d'élèves par ce que je leur apprends. Quand j'ai un bon souper avec des amis. Quand j'éclate de rire. Quand je travaille avec mon père, quand je parle avec ma mère, quand ma sœur est à mes côtés. Quand je réussis à trouver la paix intérieure. Quand je ne fais absolument rien et que ça me fait du bien. Quand je suis « écrasé » sur le divan collé tout fort contre celle que j'aime. Quand je pense aux bons souvenirs du passé. Quand je vois un beau sourire. Quand je pense à celle que j'aime et à tous nos projets futurs. Quand je dis « Je t'aime ! »

Je crois sincèrement que le bonheur est là... il suffit de bien ouvrir les yeux et de l'attraper.

LOUISE MONFETTE, enseignante

Je dirais que ça dépend... Certains jours, mon bonheur se manifeste par la lecture d'un bon livre ou d'une discussion avec des gens. D'autres fois, c'est lorsque je termine un cours et que j'ai le sentiment du devoir accompli. Parfois aussi, je dois me demander ce qui me ferait plaisir, ce qui rendrait agréable ma journée. Donc, mon bonheur est fait d'une foule de petits moments agréables, mais il faut savoir s'arrêter afin de se rendre compte que ces instants viennent de nous procurer une douce énergie qui nous aidera à traverser les périodes plus difficiles que nous aurons à affronter.

Mon bonheur, aujourd'hui, c'est de voir briller le magnifique soleil et de répondre à ton message, Marie-Phé.

MICHAEL MULHOLLAND, auteur-compositeur-interprète (Californie)

Le bonheur, pour moi, c'est donner, se soucier des autres, partager, aimer, enseigner, nourrir, être à l'écoute de toutes et de tous, sans préjugé.

C'est sourire quand tout semble aller de travers.

C'est tendre la main pour aider quelqu'un dans le besoin.

C'est s'arrêter sur la route pour secourir quelqu'un quand on n'a pas le temps de le faire.

C'est être conscient du bonheur de l'autre et s'assurer qu'il l'accepte et le vit pleinement.

C'est un large sourire, une tendre accolade, une invitation à partager le bonheur qui se trouve partout autour de nous.

C'est la famille, la naissance d'un enfant, l'éducation qu'on lui donne ; c'est la chance de le voir grandir, apprendre, sourire, rire et devenir quelqu'un.

Le bonheur, ce sont les conjoints : hommes et femmes, femmes et femmes, hommes et hommes.

C'est l'amour de toute chose : la musique, l'harmonie, les notes, l'art, les arbres et les plantes qui forment notre paysage ; les océans, les lacs et les rivières.

C'est... de longs cheveux qui flottent au vent.

C'est une maison douillette remplie de photos et de souvenirs.

C'est le passé, le présent et l'avenir.

C'est connaître Dieu ou le Grand Esprit qui nous a créés.

C'est respecter notre merveilleuse Mère, la Terre.

C'est un magnifique coucher de soleil sur la plage.

C'est se réveiller, chaque matin, conscient qu'un nouveau jour nous est donné pour aimer, grandir et évoluer.

Le bonheur, c'est faire l'amour.

C'est savoir qui l'on est.

C'est se tenir au-dessus des nuages sur une montagne si haute qu'on croirait toucher le ciel.

JULIE PERRON, conseillère

Le bonheur, pour moi, c'est quelque chose de bien simple, de différent pour chacun, accessible à tous et gratuit. Il suffit tout simplement de savoir le créer et l'accepter. Chacun y a droit !

Ma vison du bonheur a changé au cours des dernières années. Quand j'étais plus jeune, le bonheur était de pouvoir sortir et virer de *bonnes brosses* sans avoir mal à la tête le lendemain, d'avoir de beaux vêtements et de l'argent en travaillant le moins possible.

Aujourd'hui le mot *bonheur* signifie quelque chose de beaucoup plus précieux et d'une grande importance, quelque chose d'essentiel. Il se résume à ce qui suit... Je peux maintenant dire que je suis heureuse, car j'ai reçu une bonne éducation, j'ai un mari fantastique et deux enfants intelligents et en santé ; nous avons un foyer qui nous garde au chaud, les moyens de manger trois fois par jour, des amis que j'aime énormément et en qui je peux avoir confiance. Par-dessus tout, chacun d'eux m'aime et me respecte pour ce que je suis. C'est merveilleux d'être aussi bien entourée.

Je crois sincèrement que la définition du bonheur diffère d'une personne à l'autre, car elle est basée sur nos valeurs profondes et nos expériences de vie. Le bonheur ne dépend pas des autres, mais uniquement de soi-même. Il faut d'abord s'aimer et s'accepter tel que l'on est avant de chercher le bonheur auprès des autres.

Avant d'atteindre le bonheur, un bon ménage intérieur s'impose. On doit se débarrasser de toutes les bibittes que l'on traîne depuis trop longtemps, y compris celles qui nourrissent notre illusion du bonheur. C'est à ce moment-là que l'on découvre qu'on se croyait heureux, mais qu'en réalité on ne l'était pas.

La vie n'est pas toujours rose ; il y a des journées plus difficiles que d'autres. Moi non plus, je ne l'ai pas toujours eue facile, mais d'épreuve en épreuve, j'ai appris, j'ai grandi et surtout... j'ai compris.

Aujourd'hui, je dis merci à la Vie. Merci ! Car moi, j'y ai enfin trouvé mon p'tit bonheur.

BERNIE QUAYLE, animateur (Manx Radio, Îles britanniques)

Le bonheur, pour moi, c'est de savoir que j'ai donné à quelqu'un, quelque part, un peu d'amour, de paix et de compréhension.

TONEY RICHARDS, auteur-compositeur (Los Angeles, Californie)

Le bonheur prend la couleur de qui et de ce que nous sommes. Pour certains, c'est l'argent ; pour d'autres, le pouvoir et la renommée ; pour d'autres encore, c'est l'amour.

Le bonheur, pour moi, c'est de n'avoir pas d'inquiétudes, de peurs ou de phobies quant à la manière de vivre ma vie. Car cette vie ne dure qu'un moment, et il importe d'être en paix avec soi-même pour pouvoir accéder à une dimension spirituelle plus élevée après la mort physique.

Le bonheur est contagieux et attire ceux qui ont le cœur pur. Il crée des souvenirs impérissables et inspire les gens à accomplir de grandes choses.

Le bonheur est un ingrédient clé pour atteindre l'illumination à travers l'évolution de l'esprit. Il nous purifie de tout sentiment négatif et embrasse les bonnes énergies et vibrations autour de soi.

Si nous pouvions implanter dans chaque être humain l'aptitude au bonheur qu'ont les enfants, le monde se transformerait en un paradis, et nous comprendrions vraiment que nous ne pouvons et ne pourrons jamais être libres si nous ne savons pas être heureux comme ils le sont, tout simplement.

Jocelyne Robertson (Les signets de Jocelyne)

Le bonheur pour moi, c'est quand je me réveille le matin et que mon conjoint me sourit en me disant : *Bonne journée !*

C'est quand je vois que…

Mes aïeux partent dans la dignité après une vie exemplaire

Les miens sont protégés des maladies graves

Ma petite famille est très unie

Mes enfants ont beaucoup de gratitude

Je suis entourée d'amis d'une valeur inestimable

Les conflits autour de moi se règlent rapidement et sans séquelles

Mes amis prennent le temps de partager avec moi, en m'écrivant quelquefois de simples mots comme : *Dis-moi, Jocelyne, c'est quoi le bonheur pour toi ?*

Conclusion

Je vous l'avais dit que ce livre contenait de la magie ! La vôtre et celle de tous ceux qui me l'ont inspiré. Vous êtes tous des magiciens. Et tous les magiciens sont des héros. Ne l'oubliez jamais.

Abraham Lincoln disait : « Les gens sont heureux dans la mesure où ils se conditionnent à l'être. » Sachez que vous méritez ce qu'il y a de mieux ! Trouvez le bonheur où il est, c'est-à-dire en vous, là où personne ne pourra jamais vous le ravir. L'âme et le cœur sont des géants. Les plus grands protecteurs du bonheur.

Alors, choisissez d'être heureux, *maintenant !*

Le bonheur n'est pas une destination à atteindre,
mais une façon de voyager.

MARGARET LEE RUNBECK

Collaboration avec madame Judi Richards

C'est avec plaisir que je souligne ma collaboration à l'album de madame Judi Richards, dont la chanson, *Fille de l'humanité*, est tirée de l'un de mes textes.

Ce nouvel album, expression vivante de sa vision planétaire est, à l'image de madame Richards, vrai, sensible, solide et émouvant. C'est une poésie pour l'âme et un enchantement pour les oreilles et le cœur.

Dès l'automne 2006, faites-vous un cadeau et rendez-vous chez votre disquaire préféré afin de vous le procurer ou commandez-le à l'adresse suivante : http://www.judirichards.ca

Table des matières